99 RECETAS
VEGETARIANAS
SABROSAS Y LIGERAS

D1415973

HISPANO
EUROPEA

99 RECETAS VEGETARIANAS
SABROSAS Y LIGERAS

BETTINA MATTHAEI

FOTOGRAFÍAS:
WOLFGANG SCHARDT

HISPANO
EUROPEA

ÍNDICE

Vegetariano y ligero...

... dos buenos propósitos que merece la pena llevar a término. Y otra fantástica idea más: la cocina de temporada también debe ser saludable y, en la medida de lo posible, procurar que los ingredientes frescos procedan de zonas cercanas al domicilio del consumidor.

Comer y saborear la comida está siempre relacionado con las preferencias individuales. Seguro que entre la abundante oferta de verduras, ensaladas, frutas, cereales, frutos secos, legumbres y productos de soja, existe algo para todos los gustos. Pero está claro que también hay que tener en cuenta otras consideraciones: poco esfuerzo de preparación y cocción, así como la utilización de alimentos que sean de un precio asequible. Sin embargo, esto es algo que no siempre se puede conseguir en todas las recetas.

En la cocina vegetariana y ligera resulta muy importante la elección de los ingredientes, pues solo cuando nos agradan las diversas sensaciones del gusto de un plato es cuando percibimos la comida como perfecta y equilibrada. Es interesante reconocer cada alimento por su sabor y ser capaz de clasificarlo. En lo referente a los alimentos neutros, como las patatas, la pasta, las lentejas, el arroz o los cereales, están abiertos a múltiples variantes y combinaciones a cual más sabrosa. Cada uno puede experimentar a sus anchas con hierbas amargas, frutas dulces, verduras de sabor terroso o picante, y la enorme variedad disponible de exquisitos aceites y vinagres. No hay que dejar en el olvido la intensa capacidad de condimento que otorgan las alcaparras, los quesos de pasta dura o los tomates secos. Un *risotto* o un *bulgur* ganan mucha chispa y aumentan de volumen solo con agregarles unos daditos de zanahoria, apio o calabaza. Y una pequeña cantidad de tallarines mejora notablemente un plato de pasta hecho con calabaza o zanahoria.

Tenemos durante todo el año una gran selección de verduras frescas. Podemos dedicarnos a investigar sin ninguna limitación y seguro que haremos progresos.

Lo más correcto es servirnos una buena ración y comerla despacio y bien masticada. Un vistazo a la tabla de calorías nos revela de inmediato que unos 400 a 500 g de verdura aportan menos de 100 kcal. Está claro que no queremos que en los platos solo haya verdura, pero se adapta a la perfección con alimentos ricos en almidón, como el arroz, la pasta, las patatas o el cuscús. Con ellos se puede practicar, ya sea en el desayuno, el almuerzo en la oficina o la cena, la magia de servir raciones que nos sacien y, al mismo tiempo, aporten pocas calorías.

Para las ensaladas se debe planificar si se va a tratar de cogollos tiernos, una sabrosa lechuga romana, lechuga *frisé*, que es más acre, o una amarga achicoria roja, pues es preciso saber qué ingredientes son los que se van a usar para conseguir un acabado perfecto con un ligero aliño. Basta con echar un vistazo más minucioso a nuestras recetas de ensalada para localizar una de espárragos con fresas o una de remolacha roja y piña con granada: está claro que las posibilidades de combinación son inacabables y con ellas se conseguirá tanto un magnífico sabor como un trato muy favorable para la silueta.

A los curiosos y a los amigos de hacer experimentos les ayudará pasarse a una alimentación ligera y vegetariana: conocerán nuevos alimentos, probarán combinaciones poco habituales y disfrutarán saboreando todo de forma muy consciente. Éstas son nuestras mejores premisas para tener una prolongada alimentación saludable.

Os deseamos mucha diversión y un buen apetito con nuestras *99 recetas vegetarianas, sabrosas y ligeras*.

Vinagre, aceite y hierbas aromáticas

Aunque en la ligera cocina vegetariana está muy reducido el contenido de grasa para aportar sabor, existen otras muchas posibilidades para conseguir sorprendentes resultados para el gusto. Por un lado, a base de combinaciones con los ingredientes y, por otro, las hierbas aromáticas, las especias y los complementos aromáticos son auténticos artistas en materia de sabores.

Exquisitas clases de vinagre

El *aceto balsamico* auténtico está preparado con mosto de uva concentrado y lleva la denominación *Aceto balsamico tradizionale di Modena* o bien *Aceto tradizionale di Reggio Emilia*. Se deja que fermente y madure varios años en toneles de madera. Se reconoce a los de primera calidad por su profundo tono oscuro, gran viscosidad y un sabor muy intenso. Dentro de la variedad más económica, existen diversas calidades de *aceto balsamico di Modena*, que está fabricado con mosto de uva y vinagre de vino. Nunca debe contener sustancias conservantes ni colorantes a base de caramelo. El *aceto balsamico bianco* tiene un sabor agridulce y afrutado; se prepara con concentrado de zumo de uvas y vinagre de vino, y no precisa un largo período de almacenamiento. El **vinagre balsámico de manzana** es una especialidad muy costosa y no comparable con los vinagres de manzana habituales. Se produce del mismo modo que el *aceto balsamico*.

Valiosos aceites

También es muy amplia la oferta de aceites que pueden rematar un sabroso plato. Los aceites naturales, como el de **semillas de girasol** o de **maíz**, son los más clásicos entre los tipos de sabor suave y resultan ideales para mezclarlos con otras clases más aromáticas, como el **aceite de nuez**. El **aceite de colza** es suave y con leves toques de nuez. El **aceite de oliva** más caro y de mejor calidad es el denominado «virgen extra» y procede de aceitunas maduras de primera categoría prensadas en frío. El exquisito y no demasiado barato **aceite de avellanas tostadas** también se obtiene por presión en frío de estos frutos secos. Su sabor es dulzón y con intensas notas de nuez, por lo que una pequeña cantidad es suficiente para aportar su rotundo sabor al plato. El aceite de avellanas resulta perfecto para las vinagretas y combina muy bien con muchas clases de verduras.

Zumo y cáscara de limón

La cáscara de los limones tiene un fresco aroma y un ácido sabor frutal, en cambio el zumo huele menos pero aporta una acidez afrutada. Su combinación con ingredientes dulces y ácidos hacen del zumo de limón un gran reforzante del sabor, añadiendo contrastes y suspense a los platos. Si se va a utilizar la cáscara del limón, hay que intentar adquirirlos de cultivo ecológico, para luego lavarlos con agua caliente y secarlos. Después ya se puede rallar la cáscara, pelarla o hacerla tiras finas procurando no llevarse nada de la amarga cubierta blanca del interior. Tanto el zumo como la cáscara se pueden congelar.

Hierbas aromáticas frescas

Si se va a cocinar solo para dos personas, los manojos de hierbas que ofrecen en el comercio suelen ser, sobre todo en verano, demasiado abundantes. Lo más práctico es tratar de mantener en una maceta del balcón o de alguna ventana nuestras hierbas favoritas. El tomillo y el romero son resistentes al frío. Es muy sencillo cultivar cilantro a base de plantar semillas. El perejil se puede comprar por manojos, lavar los tallos, sacudirlos para que se sequen y guardarlos en una bolsa de plástico dentro del congelador. Esta hierba también aguanta fresca durante algunos días. En las recetas siempre se indica el número de ramitas de cada una de las hierbas que se va a utilizar.

El placer de lo aromático

Si se desea ahorrar en grasas, existen otros ingredientes de intenso aroma que las pueden sustituir: frutos secos, queso parmesano fuerte, chilis o guindillas (desde suaves hasta bien picantes) y especias aromáticas que darán mucho sabor a los platos. Solo se necesitan pequeñas cantidades para dar a la comida un toque muy especial.

Frutos secos y semillas

Los frutos secos son muy sustanciosos, de magnífico sabor y muy saludables. Sirven para enriquecer los platos vegetarianos con valiosos ácidos grasos e incluso en peque-  ñas cantidades aportan una chispa con su sabor. Solo hay que tostarlos en una sartén, sin necesidad de añadir grasa, para que se incremente su sabor. Haz uso de los que más te gusten, ya sean almendras, avellanas, nueces, anacardos, piñones o pipas de girasol o de calabaza.

Quesos de pasta dura especiados

¡Estos quesos otorgan mucho sabor aun cuando te sirvas de ellos en pequeñas cantidades! El inconveniente que tienen es que, la mayoría de las veces, contienen enzimas animales. Quien quiera asegurarse contra esta desventaja deberá seleccionar quesos vegetarianos u otros que hayan sido preparados con enzimas microbianas, atendiendo a las informaciones que aporte el comercio o la página de Internet del fabricante. Hay que tener en cuenta que tanto el parmesano como el *grana padano* solo se fabrican con enzimas animales. Los quesos de pasta dura son de uso frecuente en nuestras recetas, por lo que merece la pena comprarlos en trozos grandes; otorgan su mejor sabor si se utilizan recién rallados. Bien empaquetados se pueden conservar en el congelador y se dejan rallar a la perfección aun estando congelados para, después, volver a llevar la pieza completa de queso al frigorífico.

Tomates secos

Se pueden comprar secos, puros o preparados en aceite. Para preparar una cocina ligera lo ideal son los tomates secos que tan solo lle-  ven un poco de sal, y no los que están macerados en aceite. Para la elaboración de la mayoría de las recetas basta con ponerlos un poco en remojo, escurrirlos y cortarlos en trozos pequeños. Para platos de preparación más prolongada en el tiempo hay que triturarlos y dejarlos que se ablanden en un caldo o líquido de cocción. Cualquier cantidad de ellos, por pequeña que sea, aporta un intenso sabor a los platos.

Tomates *sprinkle*

Se trata de una aromática mezcla que se puede preparar con tomates secos. Pica muy finos 150 g de tomates secos. Tuesta, sin grasa, 100 g de almendras en láminas, déjalas enfriar y pícalas. Mezcla todo con una cucharada de sal marina, pimienta negra, copos de ajo desecado, albahaca y orégano, luego tritúralos en un molinillo de verduras hasta que adquieran el aspecto de una sémola que se puede mantener durante varias semanas conservada en la nevera. Esta mezcla se adapta muy bien a la pasta, las verduras o, con yogur, en forma de *dip*.

Chili ancho

El chili en polvo, de tono pardo rojizo, forma parte de las más tradicionales salsas mexicanas (por ejemplo, la moles). Aporta un sabor frutal y dulzón, como a fruta seca, pero también unas notas achocolatadas y con aroma de tabaco. Resulta relativamente suave si la intensidad de su picor llega al grado 3. Es estupendo pa-

ra platos de otoño o invierno, en los que intervengan remolacha roja, berenjenas, zanahorias o calabaza. Se puede preparar un sucedáneo mezclando una cucharadita de pimienta molida y polvo de cacao puro con 1/2 cucharadita de pimienta de Cayena.

Panch phoron

De procedencia bengalí, es una mezcla de cinco semillas -hinojo (1), comino (2), fenogreco (3), comino negro (ajenuz o neguilla) (4) y mostaza parda (5)- a partes iguales. El sabor es similar a la dulzura del regaliz, aromático, con notas de nuez y picante. Esta mezcla se suele agregar sin machacar a los platos que requieren una larga preparación, mientras que para la cocina rápida se acostumbra a añadir la mezcla, ya sea tostada en aceite, recién molida o machacada en un mortero, poco antes de acabar el tiempo de cocción.

Pimiento de Ezpeleta

El *piment d' Espelette*, en francés, y *ezpeletako piperra*, en euskera, procede del país vascofrancés. Se trata de una especie de chili finamente troceado y molido. Resulta suave, pues la intensidad de su picor llega a los grados 3 a 4, en una escala que va del 1 al 10. Es ideal para *dips* y salsas, quesos frescos, tofu y *quark*, así como con pasta o arroz, platos con huevos y casi con cualquier tipo de verduras. Se suele poner en la mesa para que cada persona aderece su plato a su gusto.

Ras el hanout

Es una mezcla marroquí de especias con un aroma muy intenso, típicamente oriental. Existen numerosas variantes, como ocurre con el curry en polvo. Sus principales ingredientes son el comino, la canela, el jengibre, el pimentón, la pimienta, la cúrcuma,

los granos del paraíso (cardamomo), el clavo, el pimiento y el chili. Unos pétalos de rosa, azahar o lavanda le brindan un aroma floral. Se utiliza sobre todo en

la preparación del cuscús, el *bulgur* y los platos de arroz, los *dips*, las salsas y los purés de sopa de verduras.

Pimentón ahumado

Para que adquieran su típico sabor ahumado, los pimientos que se utilizan para preparar esta especialidad deben secarse con humo procedente de madera de roble. Está disponible en tres categorías: dulce, picante y agridulce. El pimentón de la Vera (España) aporta un intenso sabor ahumado a los platos. Combina muy bien con comidas sustanciosas, como los diversos tipos de col o las lentejas. También resulta exquisito para añadir a la parrillada de verduras, las patatas asadas o el «chili sin carne».

Sal y pimienta de vainilla

La exquisita sal de vainilla se puede preparar en casa. Corta 2-3 vainas de vainilla Bourbon (también se pueden utilizar las vainas raspadas) en trozos de 5 mm, déjalos secar, y mézclalos con 200 g de sal gorda de roca. Llena con ellos un molinillo de sal. Al cabo de ocho días, la sal ya habrá tomado el aroma de la vainilla. Lo más importante es que la sal de roca esté bien seca (no uses la típica de cocina, de mar y húmeda) para que no se obture el molinillo. Las vainas muy antiguas o demasiado secas se pueden triturar y mezclarlas con la sal en el molinillo de verduras, pues también nos aportarán una estupenda sal de vainilla para espolvorear. La pimienta de vainilla se prepara de la misma forma: basta mezclar los trozos de vainilla con la pimienta preferida y ponerlos en el molinillo.

Buenas fuentes de proteínas

Las proteínas también juegan un importante papel en la alimentación vegetariana. Junto con los alimentos animales, como los huevos o los productos lácteos, existen fuentes vegetales de proteínas. Quien combine y aplique con sensatez esos proveedores proteicos estará bien provisto de nutrientes y elementos estructurales vitales para el organismo.

Combinar las comidas

El ser humano debe ingerir, aproximadamente 0,8 g de proteínas por cada kilogramo de peso corporal, es decir, una persona que pese 62 kg necesitará unos 50 g. Esta cantidad es muy fácil de conseguir si se combinan adecuadamente las recetas de este libro y se complementan con alguna proteína en el desayuno o entre horas.

Por ejemplo, en un día de primavera se pueden preparar las siguientes comidas cuyos efectos serán más ligeros que una cantidad abundante de proteína:

A mediodía, como entrada, una sopa de guisantes con espuma de menta (ver la página 29) que aporta 18 g de proteínas y 210 calorías. A continuación, de plato principal, una *frittata* con verduras (ver la página 30), 26 g de proteínas y 350 calorías. Por la noche unos palitos de verdura con *dip* de guisantes y queso feta (ver la página 31), con 17 g de proteínas y 220 calorías. Se trata de un total de 61 g de proteínas y 780 calorías a las que basta complementar con algunos carbohidratos, como fruta o muesli, tomados en el desayuno.

Está claro que no todas nuestras recetas contienen la misma cantidad de proteínas. Basta comparar el *quark* desnatado o el queso fresco granulado (13,5 g de proteínas/100 g) con el muesli con yogur (unos 5 g de proteínas por envase), o bien un rotundo pan integral con queso *harzer* (30 g de proteínas/100 g). Biológicamente hablando, las proteínas animales son más valiosas que las vegetales, debido a que la composición de sus aminoácidos es más similar a la del organismo humano. Existen muchas fuentes de proteínas que sirven de complemento para la alimentación. La combinación perfecta puede ser, por ejemplo, la del arroz con las alubias, las patatas con los huevos o los copos de avena con la leche: todas ellas incrementan el contenido de proteínas, debido a que el cuerpo humano puede hacer uso de una gran selección de diversos aminoácidos a modo de elementos estructurales.

Proteína vegetal

Dado que los vegetarianos no consumen carne ni pescado, necesitan servirse de otras fuentes de proteínas. El tofu es el sucedáneo ideal. Su gran ventaja es que se puede preparar y elaborar con infinitas variantes. En el comercio existe una amplia oferta de productos de tofu. Es posible elegir entre el tofu natural, el tofu seda o el de sabores distintos. La nata de soja o la bebida de soja permiten también darle un toque perfecto a los platos.

Las verduras, los cereales y las legumbres secas suministran una pequeña cantidad de proteínas y por esa razón tienen la ventaja de que apenas contienen grasa, lo que ayuda a adelgazar. Los frutos secos y las semillas son ricos en grasas, pero utilizados en pequeñas cantidades dan a los platos un toque adecuado.

Los cereales y sus productos derivados son alimentos que sacian y, al mismo tiempo, son unos importantes suministradores de proteínas. Sin embargo, las legumbres secas aportan mayor cantidad de las valiosas proteínas vegetales. Estos amortiguadores del apetito se pueden consumir sin problemas dos veces por semana. Todos los días podemos tomar verduras, setas (champiñones, setas de ostra, etc.) y diversas ensaladas que nos mantendrán saciados durante bastante tiempo.

Proteína animal

El *quark*, el yogur y otros productos lácteos, como el kéfir o el suero de leche, son perfectos, debido a que contienen proteínas que se digieren muy bien y son ricos en calcio para los huesos. En cabeza se sitúa el *quark* desnatado, con 14 g de proteínas/100 g y solo 74 kcal. El queso fresco granulado tiene las mismas virtudes.

Quesos bajos en grasas

El queso *harzer*, con su contenido en proteínas, está en la cabecera de la lista de los quesos ya que aporta 30 g de proteínas y 120 calorías por cada 100 g. El *mozzarella* fresco contiene 21 g de proteínas y 165 calorías/100 g. Un vistazo a una tabla de valores nutricionales nos permitirá seleccionar el más adecuado en cada caso. Además, en el comercio suele ocurrir que el queso fresco, el de oveja y las distintas clases de quesos blandos llevan aportes de enzimas animales y microbianas. Lo mejor es informarse y descubrir cuál es nuestra variedad favorita.

Huevos

También son unos buenos suministradores de proteínas. La clara del huevo contiene 11 g de proteínas/100 g y la yema llega a los 16 g. Es un buen motivo para saborearlos en tortilla, pasados por agua o revueltos.

Proteínas para el desayuno

Según el plato principal que vayamos a tomar en la comida, el día también puede comenzar con un desayuno proteínico. Quien no desee desayunar podrá disfrutar de los *snacks* o tentempiés que aparecen al final de cada capítulo. Veamos un par de ejemplos rápidos para iniciar bien la jornada:

Quark de fruta: mezcla 200 g de fruta fresca con 100 g de *quark* o queso fresco granulado y espolvoréalo con 1-2 cucharadas de semillas de lino, sésamo o pipas de girasol.

Algunos trozos de melón: sírvelos en una fuente con discos de *mozzarella* y aderézalos con zumo de limón, pimienta y menta fresca.

Bebida ligera de suero: prepara un puré con 200 ml de suero y 100 g de fruta fresca (fresa, piña, melocotón o albaricoque) muy picada. Se le puede añadir, según los propios gustos, una salpicadura

de zumo de lima y un leve soplo de pimienta de Cayena o de canela molida.

Batido cremoso (*smoothie*) picante: mezcla 200 g de kéfir con 40 g de queso fresco bajo en grasa (16% de materia grasa) y 1 cucharada de mezcla de hierbas aromáticas; luego sazónalo con pimienta y sal de hierbas.

Bebida ardiente: mezcla 100 g de *quark* desnatado con 150 g de zumo de tomate, añádele 1/2 cucharadita de *sambal oelek* y una pizca de sal.

Batido cremoso de bayas: mezcla 150 g de bayas variadas (congeladas) con 150 g de yogur o 200 g de suero de leche.

Rebanadas de pan

Los amantes de la comida consistente se inclinan por el pan crujiente, el de trigo integral o el moreno con quesos frescos y ligeros, o bien por tostadas con queso fundido cubiertas con rodajas de tomate o pepino fresco.

Ensaladas y productos para untar en el pan

Ensalada de huevos: se prepara con huevo duro picado acompañado de dados de tomate, cebolletas y albahaca; luego se adereza con sal y pimienta.

*Handkäs** con fruta: lava una manzana, hazla cuatro trozos, elimina el corazón y córtala en dados. Mézclala con 100 g de queso *harzer* troceado en daditos y dos cebolletas cortadas en rodajas. Prepara un aliño con una cucharadita de aceite, otra de mostaza y dos de vinagre de manzana. Salpimienta. Añádelo a la ensalada y espolvorea con cebollinos o berros.

Sabroso queso fresco granulado: se prepara con 200 g de queso, rabanitos cortados muy finos, cebolletas y pepinillos y se adereza con pimienta, sal de hierbas y rodajas de cebollino.

Handkäs: textualmente «queso de mano». Se trata de un queso típico de la cocina de Hesse en cuya elaboración final se le da forma con las manos. *(N. de la t.)*

Métodos sencillos para dar el punto a los platos

Existen innumerables formas de cocción para que la comida quede ligera en grasa y sea respetuosa con las vitaminas. Ya sea al vapor, rehogada o estofada, horneada, revestida o no con papel, o salteada con poca grasa en *wok*, lo mejor es probar todos los tipos para encontrar el que nos resulte más adecuado.

Cocinar al vapor

Muy sencillo, conserva por completo todos los nutrientes: basta colocar la verdura preparada en un cestillo para vapor de forma que quede repartida uniformemente por el recipiente, o bien que los trozos más gruesos (como los espárragos) queden en la parte inferior y los más finos en la superior. Pon algo de agua en una cazuela grande y llévala a ebullición, coloca encima el cestillo evitando que su contenido entre en contacto con el líquido. Cocina la verdura al vapor siguiendo las instrucciones de la receta.

Existen piezas de menaje que se ajustan con precisión a una cazuela grande y que pueden usarse como escurridor. Para el *wok* hay unas cestas de bambú que, antes de usar el vapor, se forran con papel vegetal. En las cazuelas pequeñas se encajan unas piezas flexibles que se adaptan al tamaño de cada recipiente.

Rehogar

Este método de cocción permite usar poca grasa para el rehogado de la verdura picada, y después terminar el proceso cocinando con algo de agua o caldo hasta que quede tierna e incluso crujiente.

Estofar

Calienta muy poco aceite en una sartén, dora la verdura y, revolviéndola un par de veces, deja que se cocine suavemente a fuego lento. Riégalo después con un líquido, como caldo, jugo o vino, y deja que se reduzca, con el recipiente destapado, a fuego medio.

Hornear

Es el sistema más adecuado para cocinar trozos grandes de verdura (berenjenas partidas por la mitad, etc). Pinta la verdura preparada con un poco de aceite y sazónala al gusto. Después colócala en un recipiente refractario o directamente en una bandeja de horno forrada con papel vegetal.

Cocinar en el horno a la papillote

Corta un gran rectángulo de papel de horno, vegetal o de aluminio, y distribuye por encima la verdura preparada, condiméntala con sal, pimienta y hierbas aromáticas; cierra y retuerce los extremos del papel como si fuera la envoltura de un caramelo. Los ingredientes se cocinan en su propio jugo y luego es posible servirlos con el papel que se ha utilizado en la cocción. Para potenciar el sabor, se le puede agregar unas gotas de aceite. También se acostumbra a pintar previamente el papel con un poco de aceite.

Saltear en *wok*

En primer lugar hay que calentar intensamente el *wok*, añadirle después un poco de aceite y dejar que éste se caliente. Comparado con las sartenes grandes, el escaso tamaño del fondo del *wok* exige muy poca cantidad de aceite. Sin dejar de remover, agrega primero la verdura que exija más tiempo de cocción (por ejemplo, las zanahorias). Añade después, poco a poco, las hortalizas de preparación más rápida (tirabeques o guisantes). Si se desea que el plato tenga algo de salsa, riega al final todos los ingredientes con algo de caldo, un poco de leche, nata de soja o leche de coco, y déjalo cocer.

PRIMAVERA

¡Por fin! Ya hemos guardado las cosas oscuras de invierno y de nuevo tenemos deseos de disfrutar de la luz y de los colores. Tras la estación más sombría del año, aparece un maravilloso verdor que fascina nuestros ojos y nuestro paladar: las ensaladas y las verduras resplandecen con todo su esplendor en un luminoso verde. Espárragos y guisantes tiernos. Jugosas mazorcas de maíz, ramilletes de zanahorias y ruibarbo. Todo con un sabor fresco y muy vivaz.

Ensalada de espárragos con fresas

UN CONTRASTE FRUTAL Y FRESCO

Para dos personas
1 manojo de espárragos verdes (aprox. 450 g |
300 g de ruibarbo | 350 g de fresas maduras |
50 g de espinacas *baby* | 4 ramitas de menta |
2 cucharaditas de miel de acacia | 2 cucharaditas
de mostaza de Dijon | 1 cucharadita de vinagre
de Jerez | Sal de vainilla (ver la página 11) |
Pimienta negra recién molida | 2 cucharadas
de aceite de almendras (o de aguacate) | Copos
de chili (por ejemplo, de pimiento de Ezpeleta)
Tiempo de preparación: 35 minutos.
Por ración: aprox. 230 kcal, 6 g de proteínas,
11 g de grasa, 23 g de hidratos de carbono.

1   Pela los espárragos hasta su tercio inferior y
retira los extremos más leñosos. Lávalos, córtalos en
trozos de 4 cm de largo y colócalos en un cestillo
para vapor. Reserva las puntas de los espárragos.
Pela el ruibarbo en trozos de 3-4 cm. Lava las fresas
y sécalas con papel de cocina. Lava a fondo las
espinacas y sacúdelas para que se sequen. Lava la
menta, sécala con papel de cocina, separa las hojitas
de las ramas y trocea las que sean de mayor tamaño.

2   Cuece al vapor los trozos de espárragos
durante tres minutos, incorpora las puntas, y déjalos
cocinar un minuto más. Retira la cazuela del fuego,
asústalos con agua fría y deja que se escurran. Para
preparar el aliño, prepara un puré con 200 g de las
fresas. Mezcla la miel con la mostaza y el vinagre y
salpimienta. Añade después el aceite. Reparte las
hojas de espinacas en un plato y coloca encima los
espárragos y el ruibarbo. Corta en 2-4 trozos el resto
de las fresas y distribúyelos por encima. Rocía todo
con el aliño y espolvoréalo con los copos de chili y
las hojitas de menta.

Ensalada de hoja con *crostini*

CON UNA DELICIOSA VINAGRETA DE MANZANA

Para dos personas
200 ml de zumo reducido de manzana | 150 g
de lechugas variadas para ensalada (por ejemplo,
canónigos, espinacas *baby,* dientes de león) |
50 g de flores comestibles (opcional) | 15 g de
almendras en láminas | 3 cucharaditas de
vinagre balsámico de manzana | 1 cucharadita
de miel de acacia | Sal marina | Pimienta negra
recién molida | 2 cucharadas de aceite de
almendras (o de pepitas de uva) | 100 g de
queso fresco (16% de materia grasa) |
½ cucharadita de curry en polvo | Pimienta
de Cayena | ½ manzana | 4 rebanadas de
baguette (aprox. 40 g)
Tiempo de preparación: 30 minutos.
Por ración: aprox. 340 kcal, 9 g de proteínas,
17 g de grasa, 35 g de hidratos de carbono.

1   Lleva a ebullición el zumo de manzana, luego
déjalo cocer, destapado y a fuego medio, hasta que
se reduzca a 80 ml y resérvalo para que se enfríe.
Lava las verduras y sacúdelas para que se sequen;
luego córtalas en trozos que quepan en la boca y
repártelas en dos platos. Si vas a utilizar flores,
lávalas previamente. Tuesta las almendras
laminadas en una sartén sin grasa hasta que
adquieran un tono amarillo, déjalas enfriar y pícalas.

2   Para preparar el aliño, mezcla el zumo de
manzana con el vinagre, la miel, la sal y la pimienta.
Incorpora después el aceite. Mezcla el queso con el
curry y aderézalo con la sal y las dos clases de
pimienta. Ralla muy fina la manzana y revuélvela con
las almendras.

3   Decora la ensalada con las flores y rocíala con
la vinagreta. Tuesta las rebanadas de pan en una
sartén sin grasa, úntalas con queso fresco y sírvelas
junto a la ensalada.

ENSALADA DE ESPÁRRAGOS
CON FRESAS

Flores comestibles

Pueden ser caléndulas y prímulas, pétalos de rosa o violetas: estas flores constituyen una fascinación, tanto para la vista como para el paladar, y ennoblecen cualquier ensalada. Las margaritas comunes tienen un refinado sabor a nuez, mientras que las capuchinas son algo picantes y la borraja nos recuerda al pepino. ¡Está claro que solo hay que utilizar flores no tratadas químicamente y procedentes de nuestro propio jardín o compradas en tiendas biológicas! También es posible encargar paquetes con semillas y cultivarlas.

ENSALADA DE HOJA
CON *CROSTINI*

PALITOS DE VERDURA CON *DIP* DE GUISANTES Y QUESO FETA.

Palitos de verdura con *dip* de guisantes y queso feta

FÁCILES DE PREPARAR Y DE LLEVAR

Para dos personas
250 g de guisantes (frescos o congelados) | 70 ml de caldo de verduras | 1 limón ecológico | 3-4 ramas de menta | 2-3 ramas de perejil | 50 g de queso de oveja (45% de materia grasa, feta) | Sal de hierbas | Pimienta verde recién molida | 3 ramas de apio | 120 g de zanahorias | 150 g de calabacín | 1 hinojo pequeño | 1 minilechuga romana
Tiempo de preparación: 40 minutos.
Por ración: aprox. 220 kcal, 17 g de proteínas, 6 g de grasa, 24 g de hidratos de carbono.

1 Coloca los guisantes en un cestillo para vapor. Introduce el cesto en una cazuela con poca agua. Si los guisantes son frescos, cuécelos al vapor 4-5 minutos; si son congelados, sigue las instrucciones que vengan en el paquete. Realiza un puré con los guisantes y el caldo, y deja que se enfríe un poco.

2 Lava bien el limón y sécalo, obtén una cucharadita de ralladura de su cáscara y exprime 3-4 cucharaditas de zumo. Lava las hierbas aromáticas, sécalas bien con papel de cocina y pícalas. Desmigaja el queso y, junto a las hierbas, añádelo a los guisantes. Bate de nuevo el puré. Aderéza con sal y pimienta, así como con el zumo y la cáscara del limón. Tapa el *dip* y mételo en la nevera.

3 Lava el apio y retira las hebras. Lava las zanahorias y pélalas. Lava bien el calabacín y el hinojo. Corta las verduras en trozos que quepan en la boca. Lava la lechuga, quítale las hojas y déjalas secar. Coloca esas hojas de lechuga en un plato, esparce por encima el resto de las verduras y sírvelas con el *dip*. A este plato le va muy bien una rebanada tostada de chapata.

Ensalada de cuscús y hierbas aromáticas

MUY SACIANTE SI SE ACOMPAÑA DE UN HUEVO COCIDO

Para dos personas
200 g de calabacines delgados | 1 ramillete de cebolletas | 1 diente de ajo | 1 cucharada de aceite de oliva | Sal y pimienta | 125 ml de caldo de verduras | 100 g de cuscús instantáneo (de grano medio) | 1 cucharadita de *ras el hanout* (o curry en polvo) | 1 chili verde | 1 lima ecológica | 2 huevos | 4 ramas de perejil y otras tantas de menta para cada ensalada
Tiempo de preparación: 40 minutos.
Marinado: 30 minutos.
Por ración: aprox. 340 kcal, 16 g de proteínas, 12 g de grasa, 43 g de hidratos de carbono.

1 Lava los calabacines, sécalos frotando y rállalos gruesos. Lava las cebolletas, separa la parte blanca de la verde y corta esta última en anillos. Pela y pica el ajo. Calienta el aceite y rehoga durante un minuto la parte blanca de las cebolletas. Añade el ajo y déjalo rehogar medio minuto más. Agrega el calabacín y, sin dejar de remover, cocínalo dos minutos más; los trozos deben quedar crujientes. Salpimienta.

2 Lleva el caldo a ebullición. Mezcla el cuscús con el *ras el hanout*, riégalo con el caldo y déjalo tapado durante cinco minutos para que se hinche. Corta el chili por la mitad en sentido longitudinal, retira las pepitas, lávalo y pícalo. Lava la lima con agua caliente y sécala, ralla la cáscara y exprime el zumo. Remueve el cuscús, mézclalo con el calabacín y aderézalo con la ralladura y el zumo de lima. Agrega el chili y la parte verde de las cebolletas. Deja reposar la ensalada al menos durante 30 minutos.

3 Cuece los huevos durante seis minutos, asústalos con agua fría, pélalos y córtalos en cuatro trozos. Lava bien las hierbas, sécalas con papel de cocina y pícalas. Agrega la mitad de ellas a la ensalada. Sirve la ensalada, esparce por encima el resto de las hierbas y decórala con los huevos.

Ensalada de coliflor

CON ALIÑO ORIENTAL DE YOGUR

Para dos personas
1 coliflor (aprox. 800 g limpia, puede sustituirse por brócoli) | 1 limón ecológico | Sal | Pimienta verde recién molida | 3-4 ramas de perejil liso | 3 cebolletas | 100 g de garbanzos (de bote) | 10 g de semillas de sésamo sin pelar | 150 g de yogur (1,5% de materia grasa) | 30 g de *tahini* blanco (pasta de sésamo, en tiendas ecológicas) | ½ cucharadita de comino molido | ½ cucharadita de pimentón dulce | ½ cucharadita de *harissa* | ¼ cucharadita de copos de chili

Tiempo de preparación: 35 minutos.
Por ración: aprox. 280 kcal, 19 g de proteínas, 13 g de grasa, 22 g de hidratos de carbono.

1   Lava la coliflor, sepárala en rosetones y colócalos en un cestillo para vapor. Según su tamaño, cocínalos al vapor 3-5 minutos hasta que queden al dente. Lava el limón con agua caliente, sécalo, ralla la cáscara y exprime unas cuatro cucharaditas de zumo. Asusta la coliflor con agua fría, déjala escurrir, rocíala con 1-2 cucharaditas de zumo de limón y salpimiéntala.

2   Lava el perejil, sécalo con papel de cocina y pícalo. Lava las cebolletas y córtalas en anillos. Cuela los guisantes y déjalos escurrir muy bien. Tuesta el sésamo en una sartén que no tenga grasa. Mezcla bien el yogur con el *tahini*, 1-2 cucharaditas de zumo de limón, la sal, la pimienta, los cominos, el pimentón y la *harissa* hasta obtener una pasta homogénea.

3   Coloca la coliflor en un plato y distribuye por encima los guisantes y las cebolletas. Rocíala con el aliño de yogur y decórala con el perejil, el sésamo y los copos de chili. A este plato le acompaña muy bien un pan oriental.

Ensalada ligera de patata

PREPARADA CON UN CALDO ESPECIADO

Para dos personas
400 g de patatas para cocer | Sal | 1 cebolla | 1 cucharada de aceite de oliva | 250 ml de caldo de verduras fuerte (ver la página 26) | 1 cucharada de *aceto balsamico bianco* | 1 cucharada de mostaza de Dijon | 200 g de rábanos | 150 g de apio | 2 huevos | Pimienta negra recién molida | 100 g de pepinillos en vinagre | 40 g de alcaparras | ½ ramillete de cebollinos (o bien ½ paquetito de berros hortelanos)
Tiempo de preparación: 40 minutos.
Marinado: 30 minutos.
Por ración: aprox. 290 kcal, 14 g de proteínas, 12 g de grasa, 34 g de hidratos de carbono.

1   Lava las patatas y, sin quitarles la piel, cuécelas en agua salada durante 20 min. Mientras tanto, pela y pica la cebolla. Calienta el aceite y rehoga en él la cebolla hasta que adquiera una tonalidad cristalizada. Mezcla el caldo con el vinagre y la mostaza, y añade a la cebolla. Llévalo a ebullición y, sin tapar, déjalo hervir a fuego lento dos minutos. Lava, pela y corta los rábanos en rodajas finas, sálalos y resérvalos. Lava el apio, retira las hebras y rállalo fino. Cuece los huevos de 10 a 12 minutos hasta que estén duros.

2   Saca las patatas del agua, asústalas con agua fría, pélalas en caliente y córtalas en rodajas delgadas. Mezcla el caldo de hierbas con las patatas. Deja reposar la ensalada 30 minutos y remuévela de vez en cuando. Salpimiéntala.

3   Asusta los huevos con agua fría, pélalos y córtalos en cuatro trozos. Pica los pepinillos y las alcaparras. Lava las rodajas de rábano que tienes reservadas y sécalas con papel de cocina. Lava el cebollino, sécalo y córtalo en anillos pequeños. Agrega el rábano, las alcaparras, el apio y los pepinillos a la ensalada. Sírvela en los platos, esparce por encima el cebollino y decórala con los huevos.

ENSALADA DE COLIFLOR

CARPACCIO DE *MOZZARELLA*

Alcaparras

Las alcaparras son los capullos cerrados de color verde oliva procedentes del alcaparro. Se introducen en sal o en vinagre y tienen un intenso sabor amargo y ácido. Para rebajar su sabor a vinagre, las alcaparras encurtidas se deben lavar y luego dejarlas escurrir. Las alcaparras de salazón se dejan durante 10 minutos en agua. Cuando están en salmuera se pueden secar en el horno a fuego bajo. Para usarlas como aderezo basta deshacerlas sencillamente entre los dedos. Son un buen acompañamiento para los platos de estilo mediterráneo.

ENSALADA DE VERDURAS

Carpaccio de *mozzarella*

CON UNA SALSA FRESCA Y AFRUTADA

Para dos personas
2 bolas de *mozzarella* (aprox. 125 g cada una) |
1 pimiento rojo (aprox. 170 g) | ⅓ de pepino |
1 chili rojo | 1 chili verde | 1 trozo de piña
(100 g de pulpa) | 1 ramillete de cilantro | Sal |
3-4 cucharaditas de vinagre de arroz |
Pimienta verde recién molida
Tiempo de preparación: 35 minutos.
Enfriado: 1 hora.
Marinado: 30 minutos.
Por ración: aprox. 380 kcal, 25 g de proteínas,
25 g de grasa, 10 g de hidratos de carbono.

1   Deja escurrir la *mozzarella*, sécala y ponla en
un plato. Métela una hora en el congelador. Pela el
pimiento, córtalo por la mitad, retira las pepitas,
lávalo y córtalo en dados muy pequeños. Lava el
pepino, córtalo por la mitad en sentido longitudinal,
retira las semillas con una cucharilla y hazlo dados
pequeños.

2   Corta los chilis por la mitad en sentido
longitudinal, retira las pepitas; lava y pica muy finas
las dos mitades. Pela la piña, elimina el troncho
central leñoso y los posibles ojos oscuros, y corta la
carne en dados pequeños. Lava el cilantro, sécalo
bien con papel de cocina y pícalo junto con los
tallos más tiernos.

3   Mezcla el pimiento, el pepino, los chilis, la piña
y el cilantro, sálalo todo y aderézalo bien con
vinagre. Deja reposar la salsa en un lugar frío 30
minutos.

4   Corta la *mozzarella* congelada en rodajas muy
finas y sírvelas en dos platos. Salpimiéntala tan
pronto como empiece a descongelarse. Esparce por
encima la salsa.

Ensalada de verduras

CON UNA FRESCA VINAGRETA A LA MENTA

Para dos personas
200 g de judías verdes | 200 g de tirabeques |
100 g de guisantes (frescos o congelados) |
50 g de acelgas rojas | 4 ramas de menta |
1 lima ecológica | 3 cebolletas delgadas |
1 cucharadita de mostaza de Dijon | 3 cucharaditas
de vinagre balsámico de manzana (o bien *aceto
balsamico bianco*) | Pimienta verde recién
molida | Sal de hierbas | 2 y ½ cucharadas
de aceite de oliva
Tiempo de preparación: 45 minutos.
Por ración: aprox. 240 kcal, 9 g de proteínas,
14 g de grasa, 19 g de hidratos de carbono.

1   Lava las judías y los tirabeques y pártelo todo
por la mitad. Introduce los trozos, por separado, en
un cestillo para vapor. Cuece las judías 6-8 minutos
y los tirabeques y guisantes, 2-3 minutos. Luego,
asústalo todo con agua fría y déjalo escurrir.

2   Lava las acelgas y sécalas con papel de cocina.
Lava y seca la menta, separa las hojitas de los
tallos, deja unas cuantas enteras y pica el resto.
Lava la lima con agua caliente y sécala, obtén de su
corteza una cucharadita de ralladura. Lava las
cebolletas y córtalas en anillos delgados.

3   Mezcla bien la mostaza con el vinagre, la sal y
la pimienta. Incorpora poco a poco el aceite. Añade
la menta picada y la ralladura de lima. Mezcla la
verdura con las cebolletas y las acelgas, ponlas en
una ensaladera, rocíalas con la vinagreta y
decóralas con las hojitas de menta.

Caldo de verduras como receta básica

Para 2 litros de caldo
140 g de cebollas | 140 g de zanahorias |
140 g de apio | 100 g de puerros | Tallos de
1 ramillete de perejil | 2 dientes de ajo | 20 g
de jengibre fresco | 2 hojas de laurel | 12 granos
de pimienta negra | 6 granos de pimienta |
½ cucharadita de copos de chili | 150 ml de
vino blanco | 100 ml de zumo de manzana | Sal
Tiempo de preparación: 25 minutos.
Tiempo de cocción: 15 minutos.
Tiempo de enfriado: 6-12 horas.
Por ración: aprox. 40 kcal, 0 g de proteínas,
0 g de grasa, 4 g de hidratos de carbono.

1   Pela las cebollas y córtalas en trozos grandes.
Pela las zanahorias y el apio y hazlos dados de 1 cm
de tamaño. Lava el puerro, pártelo por la mitad en
sentido longitudinal y trocéalo. Lava los tallos de
perejil y pícalos. Pela los ajos y córtalos por la mitad
en sentido longitudinal. Pela el jengibre y hazlo
rodajas delgadas.

2   Coloca en una cazuela la cebolla, las verduras,
el perejil, el ajo, las especias, el vino, el zumo de
manzana, la sal y dos litros de agua fría. Llévalo
tapado a ebullición, y después destápalo y déjalo
hervir a fuego lento durante 15 minutos. Retíralo del
fuego y deja reposar el caldo de 6 a 12 horas en un
lugar frío. Cuela el caldo y resérvalo.

variante para otoño e invierno

En lugar de usar jengibre, fríe media cebolla en una
sartén sin grasa hasta que la superficie cortada presente un tono marrón, luego agrégala a la cazuela.
También se puede añadir remolacha roja y 2-3 ciruelas pasas. El vino se puede sustituir por Jerez.

Sopa primaveral de verduras

Para dos personas
200 g de tofu (natural) | 1 limón ecológico | Sal |
Pimienta verde recién molida | 150 g de
espárragos verdes | 1 calabacín delgado
(aprox. 80 g) | 100 g de tirabeques | 2 cebolletas |
3-4 ramas de perifollo | 1 litro de caldo
de verduras (ver receta anterior)
Tiempo de preparación: 30 minutos.
Marinado: 2 horas.
Por ración: aprox. 130 kcal, 12 g de proteínas,
6 g de grasa, 9 g de hidratos de carbono.

1   Corta el tofu por la mitad en sentido
transversal, coloca las mitades entre papel de
cocina, aplástalas un poco y trocéalas en dados.
Lava el limón con agua caliente y sécalo. Obtén una
cucharadita de ralladura de la cáscara y exprime
una cucharadita de zumo. Aderezca el tofu con la
cáscara y el zumo de limón, salpiméntalo y déjalo
tapado en el frigorífico unas dos horas.

2   Pela los espárragos hasta su tercio inferior y
retira la parte leñosa. Lávalos, pártelos por la mitad
en sentido longitudinal y córtalos en trozos de 2 cm
dejando enteras las puntas.

3   Lava el cebollino y córtalo en rodajas delgadas.
Lava los tirabeques y pártelos por la mitad. Lava las
cebolletas, separa la parte blanca de la verde y
córtala en anillos. Lava el perifollo, sécalo con papel
de cocina y pícalo.

4   Lleva a ebullición el caldo y sálalo. Agrégale los
trozos de espárragos y la parte blanca de las
cebolletas, y déjalo cocer un minuto. Añade el
calabacín y las puntas de espárragos y cuécelo un
minuto más. Agrégale los tirabeques y la parte
verde de las cebolletas y déjalo cocer otro minuto
más. Calienta el tofu en el caldo. Sirve la sopa y
espolvorea por encima el perifollo.

SOPA PRIMAVERAL DE VERDURAS

SOPA DE GUISANTES CON ESPUMA DE MENTA

Sopa de guisantes con espuma de menta

ESPECIALMENTE EXQUISITA
PARA TUS INVITADOS

Para dos personas
300 ml de caldo de verduras (ver la receta de la página 26) | 300 g de guisantes (frescos o congelados) | 3 ramas de menta | 200 ml de leche (1,5% de materia grasa) | 50 g de queso fresco (16% de materia grasa) | Sal de hierbas | Pimienta verde recién molida | Nuez moscada recién rallada | 1 cucharadita de la cáscara rallada de un limón ecológico | Algunas gotas de zumo de limón | Sal
Tiempo de preparación: 25 minutos.
Por ración: aprox. 210 kcal, 18 g de proteínas, 4 g de grasa, 25 g de hidratos de carbono.

1   Lleva a ebullición el caldo en una cacerola y cuece en él los guisantes 7-8 minutos. Entretanto lava la menta y sécala con papel de cocina. Reserva enteras algunas hojas y pica el resto.

2   Utiliza la batidora para preparar un puré fino con los guisantes y pásalo por el colador. Mezcla la mitad de la leche con el queso fresco y caliéntala sin que llegue a hervir. Adereza la sopa con la sal de hierbas, la pimienta, un poco de nuez moscada y la cáscara y el zumo de limón. Sirve la sopa en dos cuencos.

3   Calienta el resto de la leche, agrega una pizca de sal y la menta picada, espúmala con la batidora y distribuye esa espuma por encima de la sopa. Decórala con las hojas de menta restantes.

Sopa de patata y acedera

CON *TOPPING* DE YOGUR FRESCO DE ENELDO

Para dos personas
250 g de patatas harinosas para cocer | 400 ml de caldo de verduras (ver la receta de la página 26) | 1 hoja de laurel | 1 cebolla | 100 g de acederas | 1 rama de eneldo | 2 cucharaditas de aceite de oliva | 100 ml de leche (1,5% de materia grasa) | Sal | Pimienta verde recién molida | Nuez moscada recién rallada | 100 g de yogur (3,5% de materia grasa)
Tiempo de preparación: 35 minutos.
Por ración: aprox. 190 kcal, 8 g de proteínas, 8 g de grasa, 22 g de hidratos de carbono.

1   Pela las patatas y córtalas en dados de 2 cm de tamaño. Lleva a ebullición el caldo, introduce en él los dados de patata y la hoja de laurel y déjalo cocer 20 minutos.

2   Pela y pica la cebolla. Lava la acedera, retira el tallo y pica las hojas en trozos grandes. Lava el eneldo, sécalo con papel de cocina, reserva dos ramas pequeñas y pica el resto. Calienta el aceite en una cazuela y rehoga en él la cebolla hasta que adquiera un aspecto cristalizado. Agrega la acedera y rehógala hasta que las hojas pierdan su tersura. Reserva la acedera.

3   Retira el laurel y machaca las patatas en el caldo con ayuda de un prensapatatas. Añade la acedera y prepara con todo un puré fino. Agrega la leche y calienta esta sopa sin dejarla hervir. Aderézala con la sal, la pimienta y la nuez moscada. Puedes variar su consistencia añadiendo un poco más de caldo. Mezcla el yogur con la sal y el eneldo picado. Sirve la sopa, coloca en cada plato una pella del yogur de eneldo y decora con las ramas de eneldo.

Frittata con verduras

EXQUISITA TANTO FRÍA COMO CALIENTE

Para dos personas

1 puerro delgado (aprox. 120 g) | 250 g de espárragos verdes | 200 g de calabacines pequeños y tersos | 10 tallos de hierbas aromáticas variadas (por ejemplo, perejil, perifollo, eneldo, pimpinela o 25 g de hierbas congeladas) | 150 g de guisantes (frescos o congelados) | 3 huevos | 75 ml de leche (1,5% de materia grasa) | Sal de hierbas | Pimienta verde recién molida | 1 cucharada de aceite de oliva | 4 cucharadas de queso de pasta dura recién rallado (ver la página 10)

Tiempo de preparación: 45 minutos.

Por ración: aprox. 350 kcal, 26 g de proteínas, 20 g de grasa, 17 g de hidratos de carbono.

1   Lava los puerros y corta tanto la parte blanca como la verde en discos de 1 cm de grosor. Pela los espárragos hasta su tercio inferior y quítales los extremos leñosos; luego lávalos y córtalos sesgados en trozos de 2 cm.

2   Lava los calabacines, córtalos en sentido longitudinal en cuatro pedazos y luego en trozos de 2 cm. Lava las hierbas, sécalas con papel de cocina y pícalas. Cuece los guisantes tres minutos en poca agua, asústalos con agua fría y déjalos escurrir. Mezcla los huevos con la leche y salpimienta. Agrega después las hierbas.

3   Calienta el aceite en una sartén. Rehoga el puerro, los espárragos y el calabacín a fuego fuerte y sin dejar de remover. Añade los guisantes y cocínalo todo un poco más. Salpimienta la verdura. Agrega la masa de huevo de forma uniforme sobre la verdura y deja que se cuaje, tapado, a fuego lento durante 8-10 minutos. Echa por encima el queso y cocínalo, tapado, dos minutos más hasta que el queso se funda.

Nabos de mayo (*navettes*) al horno

CON UN SUAVE Y FRESCO *DIP* DE AGUACATE A LA MENTA

Para dos personas

2 ramilletes de *navettes* (aprox. 500 g sin partes verdes) | 1 cucharadita de aceite de oliva | Sal marina | 1 lima ecológica | 3-4 ramas de menta | 1 aguacate pequeño (aprox. 100 g de pulpa) | 100 g de nata agria (10% de materia grasa) | ½ cucharadita de pasta de *wasabi* (de tubo) | Pimienta verde recién molida | Papel vegetal para la bandeja de horno

Tiempo de preparación: 30 minutos.

Por ración: aprox. 250 kcal, 5 g de proteínas, 20 g de grasa, 10 g de hidratos de carbono.

1   Precalienta el horno a 150 ºC y forra una de sus bandejas con papel vegetal. Pela los nabos, córtalos en rodajas o bastones de 2 cm de tamaño y colócalos en la bandeja del horno. Rocíalos con el aceite y sálalos. Cocínalos en el horno (a altura media) 20 minutos.

2   Entretanto lava la lima con agua caliente, sécala, ralla la cáscara y exprime 1-2 cucharaditas de zumo. Lava la menta, sécala con papel de cocina, reserva algunas hojas y pica las restantes.

3   Parte el aguacate por la mitad y retira el hueso. Extrae la pulpa de las dos mitades, aplástala con un tenedor y mézclala con la nata agria. Aderaza todo con el *wasabi*, la sal, la pimienta y el zumo de lima. Agrega la menta troceada y la mitad de la ralladura de cáscara de lima.

4   Sírvelos calientes o templados junto al *dip*, espolvorea por encima el resto de la ralladura de lima y decora con las hojas de menta que has reservado.

FRITTATA CON VERDURAS

Tortillitas de espinacas y *quark* con verdura cruda

TIERNAS TORTILLITAS ACOMPAÑADAS DE CRUJIENTES VERDURAS

Para dos personas
200 g de *quark* desnatado |
1 pizca de hebras de azafrán |
Sal | 1 huevo (tamaño S) |
60 g de sémola de trigo duro |
2 cucharadas de queso de pasta dura recién rallado (ver la página 10) | Nuez moscada recién rallada | Pimienta negra recién molida | 100 g de espinacas | 1 cebolla pequeña |
1 diente de ajo | 1 cucharada de aceite de oliva | Pimienta |
3 cucharadas de vinagre balsámico de manzana |
3 ramas de perejil liso |
100 g de zanahorias |
100 g de *navettes* | 1 manzana pequeña (aprox. 120 g)
Tiempo de preparación: 1 hora.
Por ración: aprox. 330 kcal, 23 g de proteínas, 10 g de grasa, 34 g de hidratos de carbono.

1   Cubre un colador con un paño de cocina limpio y coloca allí el *quark* dejando que escurra 30 minutos. Entretanto desmenuza el azafrán en un mortero añadiendo algo de sal. Bate el huevo con un tenedor. Mezcla el *quark* con el huevo, la sémola y el queso, añádeles la sal de azafrán y aderézalo con la nuez moscada y la pimienta. Deja que la masa se hinche al menos durante 30 minutos.

2   Mientras, lava bien las espinacas. Pela el ajo y la cebolla y pícalos finos. Calienta ½ cucharada de aceite de oliva en una sartén, rehoga allí la cebolla hasta que adquiera una aspecto cristalizado, agrega el ajo y rehoga ½ minuto más. Rehoga las espinacas 1-2 minutos más con la cacerola destapada hasta que las hojas pierdan su tersura. Salpimienta las espinacas y déjalas enfriar, luego apriétalas un poco y córtalas en trozos grandes.

3   Mezcla el vinagre con una pizca de sal. Lava el perejil, sécalo con papel de cocina y pícalo. Lava las zanahorias y los nabos, pélalos y córtalos en juliana. Lava bien la manzana y, manteniendo la cáscara, rállala en tiras que rociarás de inmediato con el vinagre. Mezcla la zanahoria con el perejil.

4   Mezcla la masa de *quark* y espinacas. Calienta el resto del aceite de oliva en una sartén grande. Saca con una cuchara sopera unas 8-10 porciones de la mezcla, échalas en la sartén, cocínalas durante un instante, después presiónalas con cuidado con una espumadera y vuelve a cocinarlas a fuego medio 8-10 minutos, dándoles la vuelta de vez en cuando, hasta que adquieran una tonalidad dorada y queden crujientes. Sírvelas calientes con la verdura cruda.

Colinabo con relleno de mijo
ALIÑADO CON CILANTRO Y COMINOS

Para dos personas
3 cebolletas | 1 diente de ajo | 60 g de mijo | 2 colinabos tiernos (de 200-250 g) | 1 cucharada de aceite de oliva | 1 pizca de cúrcuma en polvo | ¼ cucharadita de cilantro molido y otro tanto de comino molido | 250 ml de caldo de verduras (ver la receta de la página 26) | 300 g de tomates carnosos | Sal y pimienta | 4 ramas de perejil liso | 125 g de *ricotta* | 3 cucharadas de queso de pasta dura recién rallado (ver la página 10)
Tiempo de preparación: 1 hora y 5 minutos.
Por ración: aprox. 360 kcal, 17 g de proteínas, 19 g de grasa, 32 g de hidratos de carbono.

1   Lava las cebolletas. Pica la parte blanca y haz anillos con la verde. Pela y pica el ajo. Lava el mijo y déjalo escurrir. Pela los colinabos, retírales una tapa y vacíalos con una cuchara parisina (sacabolas). Corta esas bolas en dados pequeños. Calienta el aceite, rehoga la parte blanca de la cebolleta hasta que presente un aspecto cristalizado. Rehoga el ajo durante un instante, añade el colinabo troceado y rehoga de nuevo 2-3 minutos. Añade el mijo, las especias y 150 ml de caldo y llévalo a ebullición. Tapa y deja que se hinche durante unos 20 minutos.

2   Coloca los colinabos huecos en un cestillo para vapor y cuécelos durante 8-12 minutos hasta que queden al dente. Pela los tomates, pártelos por la mitad, retira las pepitas y córtalos en dados pequeños. Reserva un tercio de ellos y salpimienta el resto. Precalienta el horno a 200 °C (a 180 °C si es con circulación de aire). Lava el perejil, sécalo con papel de cocina y pícalo. Mezcla el mijo con las dos terceras partes de los tomates, el *ricotta*, la parte verde de las cebolletas y el perejil. Salpimienta. Rellena los colinabos con esa mezcla, colócalos en un molde apto para el horno y espolvoréalos con queso. Mezcla el resto del caldo con los tomates que han quedado y échalo en el molde. Cuécelo en el horno (a altura media) unos 8-10 minutos.

Endibias con patata machacada
SABROSAS POR LA MOSTAZA Y LAS ALCAPARRAS

Para dos personas
300 g de patatas harinosas para cocer | Sal | 2 endibias grandes o 4 pequeñas (aprox. 400 g) | 150 ml de nata de soja | 2 cucharaditas de mostaza en grano | 2 cucharaditas de mostaza de Dijon | Pimienta verde recién molida | 2 cucharaditas de alcaparras | 20 g de queso de pasta dura recién rallado (ver la página 10) | 1 cebolla | 200 g de pepino | 1 cucharadita de aceite de oliva | 150 ml de caldo de verduras (ver la página 26) | 2 ramas de perejil liso
Tiempo de preparación: 50 minutos.
Por ración: aprox. 310 kcal, 12 g de proteínas, 17 g de grasa, 29 g de hidratos de carbono.

1   Precalienta el horno a 220 °C (a 200° C si es con circulación de aire). Pela las patatas y déjalas cocer en agua salada 20 minutos. Lava las endibias, pártelas por la mitad en sentido longitudinal y retira el troncho central, colócalas en un cestillo para vapor y cuécelas cinco minutos.
2   Mezcla la nata de soja con los dos tipos de mostaza, y salpimienta. Escurre las alcaparras y añádelas. Coloca las endibias en un molde apto para el horno, rocíalas con la nata de soja, espolvoréalas por encima con queso y hornéalas (en la parte superior del horno) unos 10-12 minutos hasta que adquieran una tonalidad dorada.
3   Pela la cebolla y pícala. Pela los pepinos, córtalos por la mitad en sentido longitudinal, retira las pepitas y trocéalos en dados. Calienta el aceite y rehoga la cebolla hasta que quede con aspecto cristalizado. Agrega el pepino, rehógalo un instante y asústalo con el caldo. Deja cocer el pepino seis minutos hasta que se ablande y el caldo se haya evaporado casi por completo. Escurre las patatas, deja que se enfríen un poco, mézclalas con el pepino y machácalas en trozos grandes. Salpimienta este puré de patatas. Lava el perejil, sécalo con papel de cocina y pícalo. Sirve el puré sobre las endibias y decóralo con el perejil picado.

COLINABO CON RELLENO DE MIJO

Wok de verduras de primavera con fideos celofán

VERDURAS LOCALES EN UN CALDO ASIÁTICO MUY LIGERO

Para dos personas
80 g de fideos celofán (por ejemplo, *vermicelli*) | 1 manojo de *navettes* (aprox. 250 g) | 250 g de zanahorias | 4 ramas de apio (aprox. 200 g) | 1 ramillete de cebolletas | 100 g de tirabeques | 1 guindilla grande | 10 g de jengibre fresco | 1 lima ecológica | 1 manojo de cilantro | 1 cucharada de aceite vegetal | 300 ml de agua de coco sin edulcorar | 300 ml de caldo de verduras (ver la página 26) | 10 g de crema de coco en bloque | 2 cucharaditas de salsa de soja clara | 2 cucharaditas de *mirin* (opcional) | Sal (opcional)
Tiempo de preparación: 1 hora.
Por ración: aprox. 370 kcal, 7 g de proteínas, 10 g de grasa, 52 g de hidratos de carbono.

1   Cuece los fideos en agua hirviendo durante 3-4 minutos, luego asústalos con agua fría y déjalos escurrir. Retira las fuertes hojas de los nabos, sin desprender los tallos, córtalas en trozos de 2 cm de tamaño, lávalas y blanquéalas en agua hirviendo durante un minuto. Sácalas del agua caliente, asústalas con agua helada y presiónalas un poco.

2   Lava los nabos y las zanahorias, pélalos y córtalos en bastones de unos 5 mm de grosor. Lava el apio, quítale las hebras y córtalo en discos de 1 cm de grosor. Lava las cebolletas, corta la parte blanca en trozos de 2 cm de ancho y haz anillos con la parte verde. Lava los tirabeques y córtalos por la mitad en sentido oblicuo.

3   Lava la guindilla, córtala en anillos delgados y retira las semillas. Pela el jengibre y rállalo en trozos grandes. Lava la lima con agua caliente, sécala, ralla la cáscara y exprime 2-3 cucharaditas de zumo. Lava el cilantro y sécalo con papel de cocina, retira las hojitas y pica los tallos.

4   Calienta el aceite de oliva en un *wok*. Rehoga durante medio minuto la parte blanca de las cebolletas, sin dejar de remover. Incorpora los bastones de zanahoria y mantén el rehogado otros dos minutos, removiendo constantemente. Añade los nabos y el apio y, como antes, remueve y rehoga dos minutos más. Agrega el jengibre, la guindilla y los tallos de cilantro, y déjalo cocinar un instante más. Asústalo con el agua de coco y el caldo, y llévalo a ebullición. Cuece la verdura 2-3 minutos hasta que quede al dente. Corta la crema de coco en trozos pequeños y disuélvelos en el caldo. Agrega los tirabeques y déjalo cocer un minuto más. Añade los fideos, la parte verde de las cebolletas y las hojas de los nabos, y caliéntalo todo durante un instante.

5   Adereza la verdura con el zumo de lima, la salsa de soja y, a discreción, con *mirin*; rectifica de sal si lo estimas necesario. Sirve en sopera grande y echa por encima las hojas de cilantro y la ralladura de lima.

Pasta
con verdura

EXQUISITOS CON UN ALIÑO
DE SALSA DE VINO BLANCO Y NATA DE SOJA

Para dos personas
200 g de espárragos verdes | 200 g de calabacines
delgados, verdes o amarillos | 6-8 ramas de
perejil | 2 chalotas | Sal | 1 cucharadita de aceite
de oliva | 100 ml de vino blanco (por ejemplo,
Riesling) | 150 ml de caldo de verduras (ver la
receta de la página 26) | 100 ml de nata de soja
| Pimienta negra recién molida | 100 g de
tallarines de trigo duro
Tiempo de preparación: 45 minutos.
Por ración: aprox. 350 kcal, 10 g de proteínas,
11 g de grasa, 44 g de hidratos de carbono.

1   Pela los espárragos hasta su tercio inferior y
retira los extremos leñosos. Lávalos y sírvete de un
pelador para sacarles largas tiras longitudinales.
Lava los calabacines y córtalos también en tiras,
algunas de ellas de la misma longitud del calabacín
y otras partidas por la mitad. Lava el perejil, sécalo
con papel de cocina y pícalo. Pela las chalotas y
trocéalas en dados pequeños.

2   Pon agua en una cazuela, sálala y llévala a
ebullición. Calienta el aceite y rehoga las chalotas
hasta que adquieran aspecto cristalizado. Añade el
vino y el caldo, llévalos a ebullición y déjalos, sin
tapar, a fuego medio hasta que el líquido se reduzca
a la mitad. Añade la nata de soja y salpimienta.

3   Cuece los tallarines en el agua salada, de
acuerdo con las instrucciones que vengan en el
paquete, hasta que queden al dente. Unos tres
minutos antes de finalizar el tiempo de cocción
añade las tiras de espárragos y deja cocer durante
un minuto y medio más. Agrega las tiras de
calabacín y cuece de nuevo 1-2 minutos hasta que
la verdura quede también al dente. Coloca en un
colador la pasta y la verdura, déjalas escurrir y
mézclalas con la salsa. Agrega la mitad el perejil y
echa por encima la otra mitad.

Medias lunas
con relleno de *quark*

UN CLÁSICO EN UN CONSOMÉ CLARO

Para dos personas
60 g de *quark* desnatado | 120 g de patatas
harinosas para cocer | Sal | 100 g de harina |
1 huevo (tamaño S) | 1 chalota | 1 cucharadita
de aceite de oliva | ½ ramillete de perejil |
4 cucharadas de queso de pasta dura recién
rallado (ver la página 10) | Sal de hierbas |
Pimienta verde recién molida | 700 ml de caldo
de verduras (ver la receta de la página 26) |
Unas salpicaduras de zumo de limón | Harina
para espolvorear la superficie de trabajo
Tiempo de preparación: 1 hora y 10 minutos.
Por ración: aprox. 330 kcal, 17 g de proteínas,
9 g de grasa, 46 g de hidratos de carbono.

1   Deja escurrir el *quark* en un colador. Pela las
patatas y cuécelas durante 20 minutos con poca
agua. Escúrrelas y deja que se enfríen un poco. Para
preparar la masa mezcla bien, trabajando a mano,
la harina, el huevo, ¼ cucharadita de sal y 4-5
cucharaditas de agua. Envuelve la masa en papel
film de cocina y déjala reposar 20 minutos.
2   Pela la chalota y pícala. Calienta el aceite,
rehoga la chalota hasta que quede con aspecto
cristalizado y deja enfriar. Lava el perejil, sécalo con
papel de cocina y pícalo. Machaca las patatas junto
al *quark*. Agrega la chalota, las dos terceras partes
del perejil y la mitad del queso. Adereza con la sal
de hierbas y la pimienta.
3   Lleva agua a ebullición y sálala. Extiende la
masa sobre una superficie de trabajo que hayas
enharinado previamente. Corta la masa en discos
(de 8 a 9 cm de diámetro). Coloca en el centro de
cada uno de ellos una cucharadita de relleno y pinta
los bordes con agua. Dobla los círculos por el centro
hasta conseguir medias lunas y presiona los bordes.
Déjalos cocer, tapados, en el agua hirviendo 6-8
minutos. Calienta el caldo y adereza con la sal y el
zumo de limón. Saca las medias lunas del agua,
colócalas en un cuenco hondo, agrega el caldo y
espolvoréalo todo con el resto del queso y el perejil.

TALLARINES CON VERDURA

Risotto de cebada con verduras de primavera

UN PLATO QUE ENTUSIASMA A CUALQUIERA

Para dos personas
½ ramillete de cebolletas |
1 ramillete de perejil (aprox. 60 g)
| 150 g de zanahorias pequeñas
de manojo | 1 tallo de apio |
100 g de perlas de cebada
(o escanda) | 400 ml de caldo
de verduras (ver la receta de
la página 26) | 1 y ½ cucharadas
de aceite de oliva | 100 ml de
vino blanco (por ejemplo,
Riesling) | 150 g de *navettes* |
150 g de tirabeques | 4-6 ramas
de perejil | Sal | Pimienta negra
recién molida | 40 g de queso
fresco (16% de materia grasa)

Tiempo de preparación: 1 hora
y 5 minutos.
Por ración: aprox. 380 kcal,
12 g de proteínas, 11 g de
grasa, 51 g de hidratos
de carbono.

1   Lava las cebolletas. Pica la parte blanca y haz anillos finos de la
verde. Lava el perejil. Lava una zanahoria pequeña, pélala y córtala en
dados muy pequeños. Lava el apio, retírale las hebras y trocéalo
también en daditos. Lava la cebada en un colador con abundante
agua y déjala escurrir. Calienta el caldo.

2   Calienta una cucharada de aceite en una cazuela y rehoga allí la
verdura picada. Agrega la cebada y déjalo rehogar un minuto más;
después asústalo con el vino. Tan pronto como el vino comience a
evaporarse, echa por encima el caldo caliente y llévalo a ebullición.
Tapa la cebada y, removiéndola de vez en cuando, déjala cocer
durante 35 minutos a fuego lento.

3   Entretanto pela el resto de las zanahorias dejando parte de las
hojas verdes. Lava los nabos, pélalos y córtalos en rodajas o
bastones de 1 cm de grosor. Lava los tirabeques y, según sea su
tamaño, pártelos por la mitad o déjalos enteros. Lava el perejil, sécalo
con papel de cocina y pícalo.

4   Diez minutos antes de que la cebada esté lista, coloca las
zanahorias en un cestillo para vapor. Lleva a ebullición algo de agua
en una cazuela. Cuece al vapor las zanahorias tres minutos, agrega
después los nabos y déjalos cocer dos minutos más. Rocía las
verduras con el resto de aceite, salpimiéntalas y mézclalas con el
perejil.

5   Adereza el *risotto* con sal y pimienta y añádele el queso fresco.
Sírvelo en dos platos, coloca alrededor la verdura y espolvoréalo con
la parte verde de las cebolletas.

Col puntiaguda con bolas de pan

UN PLATO SENCILLO Y SUSTANCIOSO

Para dos personas

2 panecillos (aprox. 90 g) | 125 ml de leche | 100 g de cebolla | 3 cucharadas de aceite de oliva | 6 ramas de perejil liso | 1 huevo (tamaño S) | Sal | Pimienta negra recién molida | Nuez moscada recién molida | 400 g de col puntiaguda | 250 ml de caldo de verduras (ver la receta de la página 26) | 150 g de queso fresco (16% de materia grasa) | 1 pizca de cúrcuma en polvo | Papel vegetal

Tiempo de preparación: 1 hora y 10 minutos.

Por ración: aprox. 395 kcal, 22 g de proteínas, 19 g de grasa, 34 g de hidratos de carbono.

1   Corta los panecillos en rebanadas y tuéstalas. Calienta la leche. Rocía las tostadas con la leche y deja que se hinchen durante 30 minutos. Pela las cebollas y trocéalas en dados. Calienta una cucharadita de aceite, rehoga allí la tercera parte de la cebolla hasta que adquiera aspecto cristalizado y deja que se enfríe. Lava el perejil, sécalo con papel de cocina y pícalo. Amasa los panecillos con el huevo, la cebolla y tres cuartas partes del perejil. Salpimienta la masa y aderézala con nuez moscada, luego prepara con ella seis bolas pequeñas.

2   Lleva agua a ebullición en un *wok*. Forra con papel vegetal un cestillo de bambú para vapor, píntalo con ¼ cucharadita de aceite y coloca encima las bolas. Tapa el *wok* y déjalo cocer al vapor de 12 a 15 minutos. Lava el repollo y córtalo en tiras. Calienta el resto del aceite y rehoga lo que queda de cebolla. Agrega la col picuda y, sin dejar de remover, sigue rehogando 1-2 minutos más, luego asústalo con el caldo y llévalo a ebullición. Tapa y deja que la col cueza cinco minutos. Después destápala y déjala cocer otros tres minutos. Agrega el queso fresco y continúa la cocción 2-3 minutos hasta que la salsa quede cremosa. Aderézalo con la cúrcuma, la sal y la pimienta. Sirve la col con las bolas de pan y espolvorea por encima el resto del perejil.

Tortilla de espárragos y tomates

UNA SINFONÍA EN ROJO, AMARILLO Y VERDE

Para dos personas

400 g de espárragos verdes | 150 g de tomates cherry | ¼ cucharadita de hebras de azafrán | Sal | 4 huevos | Pimienta negra recién molida | ¼ cucharadita de copos de chili | 1 cucharada de aceite de oliva | 4 ramas de albahaca | 2 ramas de menta

Tiempo de preparación: 25 minutos.

Cocción: 12 minutos.

Por ración: aprox. 250 kcal, 17 g de proteínas, 17 g de grasa, 6 g de hidratos de carbono.

1   Precalienta el horno a 180 °C (sin circulación de aire). Pela los espárragos hasta su tercio inferior y retira los extremos leñosos. Lávalos y córtalos en sentido oblicuo en trozos de 3 cm. Lava los tomates y sécalos con papel de cocina. Desmenuza en un mortero las hebras de azafrán con ¼ cucharadita de sal. Bate los huevos y aderézalos con la sal de azafrán, la pimienta y los copos de chili.

2   En una sartén con mango adecuado para meter en el horno (o protegido con papel de aluminio) calienta el aceite, echa los tomates y, sin dejar de remover constantemente, déjalos cocinar un minuto. Agrega los trozos más gruesos de los espárragos y, removiendo constantemente y a fuego medio, cuécelos dos minutos; luego incorpora el resto de los espárragos y cocínalos otros dos minutos, siempre sin dejar de remover.

3   Salpimienta la verdura. Riégala por encima con los huevos y déjalos que cuajen tres minutos. Luego métela en el horno (altura media) y mantenla allí de 10 a 12 minutos hasta que la tortilla esté blanda. Entretanto lava las hierbas, sécalas con papel de cocina y córtalas en trozos grandes. Espárcelas sobre la tortilla antes de servirla.

COL PUNTIAGUDA CON BOLAS DE PAN

Tentempiés de primavera

1 *Quark* de pepino con hierbas aromáticas

ALGO REFRESCANTE PARA TOMAR
A CUCHARADAS

Para dos personas
Tiempo de preparación: 20 minutos.
Por ración: aprox. 140 kcal, 18 g de proteínas,
4 g de grasa, 8 g de hidratos de carbono.
1 huevo (tamaño M) | 150 g de pepino |
2 cebolletas | 2 ramas de eneldo | 1-2 ramas de
perejil liso | 200 g de *quark* desnatado |
1 cucharadita de zumo concentrado de manzana
| 2 cucharaditas de mostaza de Dijon | Sal de
hierbas | Pimienta verde recién molida

1   Cuece el huevo de 10 a 12 minutos.
Entretanto pela los pepinos, pártelos por la mitad
en sentido longitudinal, quítales las semillas con
una cucharilla y trocéalos en dados pequeños.
Lava la cebolleta, pica la parte blanca y corta la
verde en anillos delgados. Lava las hierbas y
sécalas con papel de cocina. Pica el eneldo y las
hojas de perejil.

2   Asusta el huevo con agua fría, pélalo y trocéalo.
Mezcla el *quark* con el zumo de manzana y la
mostaza. Salpimiéntalo. Mezcla el huevo con los
daditos de pepino, la cebolleta y las hierbas.

2 Bebida de fresas
ALGO DE FRUTA ENTRE HORAS

Para dos vasos
Tiempo de preparación: 15 minutos.
Por ración: aprox. 105 kcal, 4 g de proteínas, 2
g de grasa, 18 g de hidratos de carbono.
250 g de fresas | 4 ramas de menta | 250 ml
de agua de coco sin edulcorar | Pimienta verde
recién molida | 150 g de yogur (1,5% de
materia grasa)

1   Lava bien las fresas y córtalas en trozos
grandes. Lava la menta y sécala con papel de cocina.
Reserva algunas hojas pequeñas y pica el resto.

2   Prepara un puré muy fino con las fresas, el
agua de coco y la menta, y aderézalo con algo de
pimienta verde. Agrega el yogur y bátelo de nuevo.
Echa la bebida en dos vasos altos y, a tu gusto,
decóralos con hojas de menta o con media fresa.

3 *Dip* de hierbas aromáticas y tofu

IDEAL COMO *DIP* Y PARA UNTAR EN PAN

Para dos personas
Tiempo de preparación: 20 minutos.
Por ración: aprox. 160 kcal, 10 g de proteínas,
11 g de grasa, 5 g de hidratos de carbono.
1 limón ecológico | 4 ramas de perejil liso |
2 ramas de eneldo | ½ ramillete de cebollino |
½ paquetito de berros | 200 g de tofu (natural) |
1 cucharada de aceite de oliva | 2 cucharadas de
nata de soja | ½ cucharadita de miel de acacia |
Sal | Pimienta verde recién molida

1   Lava el limón con agua caliente, sécalo, ralla
una cucharadita de cáscara y exprime 2-3
cucharaditas de zumo. Lava el perejil, el eneldo y el
cebollino, y sécalos con papel de cocina. Pica el
perejil y el eneldo y corta el cebollino en anillos
delgados. Saca los berros del paquete, lávalos bien
en un colador y sécalos con papel de cocina.

2   Seca un poco el tofu con papel de cocina y
desmigájalo; añádele una cucharada de zumo de
limón, el aceite, la nata de soja y la miel, y con la
batidora consigue un puré fino. Agrega el perejil, el
eneldo, el cebollino, la mitad de los berros,
salpimienta y, si lo consideras necesario, aderézalo
con un poco más de zumo de limón. Esparce por
encima el resto de los berros.

VERANO

¡Nuestra estación favorita! Desplazamos nuestra vida al aire libre.
El jardín y el balcón se convierten en la sala de estar. Nos dejamos
mimar por el sol, lo mismo que hacen la fruta y las verduras.
La multiplicidad de colorido es mayor que nunca. ¡No hay otra
temporada del año en que los tomates sean más aromáticos,
los pepinos más jugosos y las cerezas y las bayas más dulces!

Ensalada variada con limón azucarado

MUY REFINADA CON EL MELÓN Y LOS PISTACHOS

Para dos personas
200 g de melón maduro (Galia o Cantalupo) |
2 limones | 2 cucharaditas de azúcar | Sal
marina | Pimienta verde recién molida |
75 g de hojas de ensalada *baby* (por ejemplo,
espinacas, acelgas o rúcula) | 3 ramas de
albahaca | 2 ramas de perejil liso | 1 rama de
eneldo | 20 g de pistacho salados |
2 cucharadas de aceite de oliva
Tiempo de preparación: 30 minutos.
Por ración: aprox. 220 kcal, 4 g de proteínas, 16
g de grasa, 14 g de hidratos de carbono.

1   Pela el melón, quita las semillas y córtalo en
rodajas delgadas. Pela los limones, elimina todo lo
que puedas la parte blanca de debajo de la cáscara
y córtalos en rodajas muy delgadas; retira las
posibles pepitas. Reserva el zumo que ha salido al
cortar los limones y rocíalo sobre el melón.

2   Coloca las rodajas de limón sobre un plato,
espolvoréalas con azúcar, échales algo de sal y
pimienta, y déjalas reposar hasta que el azúcar se
haya disuelto.

3   Entretanto lava la ensalada y sacúdela para que
se seque. Lava las hierbas y sécalas con papel de
cocina. Separa las hojas de los tallos de la albahaca
y el perejil. Trocea las agujas de eneldo. Mezcla las
hierbas con la ensalada y sírvelo en dos platos.
Coloca encima las rodajas de limón y melón. Corta
los pistachos en trozos grandes y espárcelos por
encima. Rocía con el aceite y adereza con la sal
marina y la pimienta.

Rúcula con sandía a la plancha

LA MENTA Y EL FETA SIRVEN DE ADEREZO

Para dos personas
1 manojo pequeño de rúcula (aprox. 80 g) |
4 ramas de menta | 100 g de queso de oveja
(feta, de 45% de materia grasa) | 1 trozo grande
de sandía (aprox. 250 g de pulpa) |
2 cucharaditas de *aceto balsamico* | Sal marina |
Pimienta negra recién molida | 1 y ½ cucharadas
de aceite de oliva | ½ limón | ¼ cucharadita de
copos de chili (por ejemplo, de pimiento
de Ezpeleta)
Tiempo de preparación: 25 minutos.
Por ración: aprox. 240 kcal, 11 g de proteínas,
16 g de grasa, 13 g de hidratos de carbono.

1   Retira los tallos de la rúcula, lávala bien y
sacúdela para que se seque. Lava la menta y sécala
con un papel de cocina. Deja enteras las hojas más
pequeñas y corta las de mayor tamaño. Desmigaja
el queso. Corta la sandía en rodajas de unos 2 cm
de grosor, pélalas y elimina las semillas. Seca los
trozos de la sandía con papel de cocina.

2   Distribuye la rúcula en los platos. Mezcla el
vinagre con la sal, la pimienta y una cucharada de
aceite; rocía la rúcula con esa mezcla. Calienta una
sartén para asar, échale el resto de aceite y asa allí
las rodajas de sandía 2-3 minutos por cada lado;
luego colócalas, aún templadas, sobre la rúcula,
rocíalas con algunas gotas de zumo de limón,
salpimienta y espolvorea con el queso, los copos de
chili y la menta.

consejo   Si no dispones de una sartén
especial para asar, también puedes utilizar la
barbacoa o incluso servirte de una sartén normal. En este caso solo debes asar la sandía un
minuto por cada lado.

ENSALADA VARIADA CON LIMÓN AZUCARADO

Encurtidos de cáscara de sandía

Pela muy fina la cáscara de una sandía, haz dados pequeños con la capa color verde claro (700-800 g), mézclalos con una cucharada y media de sal y déjalos reposar durante toda la noche. Lávalos, ponlos en una cazuela con agua fría, cuécelos 15 minutos y, por último, sácalos del agua. Prepara un sirope a base de llevar a ebullición 250 ml de vinagre de arroz, 125 ml de zumo de manzana, 500 g de azúcar, 20 g de jengibre picado, la cáscara de una lima ecológica, cuatro clavos, una rama de canela y la médula de una vaina de vainilla. Añade la cáscara de sandía y deja que hierva 50-60 minutos. Consérvalo en tarros herméticos. Va muy bien con el queso feta, la *mozzarella* y los platos preparados con *quark*.

ENCURTIDOS DE CÁSCARA DE SANDÍA

RÚCULA CON SANDÍA A LA PLANCHA

ENSALADA DE ACELGAS CON ALBARICOQUES

Ensalada de acelgas con albaricoques

CON QUESO DE CHIPRE A LA PLANCHA

Para dos personas
150 g de *halloumi* (queso chipriota de cabra) |
100 g de hojas de acelgas rojas (o bien
espinacas *baby*) | 200 g de albaricoques
maduros | 100 g de frambuesas | 1 guindilla roja
| 2 ramas de menta | 1 cucharadita de confitura
de albaricoque (opcional) | 2 cucharadas de
vinagre de arroz | Sal | Pimienta negra recién
molida | 3 cucharaditas de aceite de oliva
Tiempo de preparación: 35 minutos.
Por ración: aprox. 370 kcal, 19 g de proteínas,
27 g de grasa, 13 g de hidratos de carbono.

1   En caso de que encuentres demasiado salado
el queso, lo puedes poner en remojo unos 10-15
minutos. Lava las acelgas, sacúdelas bien para que
se sequen y repártelas en dos platos. Lava los
albaricoques, sécalos bien con papel de cocina,
pártelos por la mitad y retira el hueso; corta las dos
mitades en gajos. Lava las frambuesas. Corta la
guindilla por la mitad en sentido longitudinal, retira
las semillas, lávala y pícala. Lava la menta y sécala
con papel de cocina; deja enteras las hojas más
pequeñas y pica el resto.

2   Para preparar el aliño mezcla la confitura con
una cucharada de vinagre y la guindilla, y luego
salpimienta. Seca el queso con papel de cocina y
córtalo en rebanadas de 1 cm de grosor.

3   Calienta una cucharadita y media de aceite en
una sartén y asa brevemente los albaricoques
reservados. Calienta el resto de aceite en la sartén.
Asa el queso 4-5 minutos por cada lado hasta que
adquiera una apariencia dorada y luego sácalo de
la sartén. Agrega el vinagre restante al caldo de
haber cocinado el queso e incorpóralo al aliño.
Reparte los albaricoques, el queso y las frambuesas
sobre la ensalada y rocíalo todo con el aliño.
Decora con la menta.

Ensalada de espinacas con piñones

COLORIDO VERANIEGO CON TOMATES CHERRY

Para dos personas
150 g de espinacas | 30 g de piñones | 250 g de
tomates cherry | 100 g de mini *mozzarellas* |
Sal marina | Pimienta negra recién molida |
2 cucharadas de *aceto balsamico* | 1 cucharada
de aceite de oliva
Tiempo de preparación: 25 minutos.
Por ración: aprox. 310 kcal, 14 g de proteínas,
24 g de grasa, 8 g de hidratos de carbono.

1   Retira los tallos de las espinacas, lava bien las
hojas y sacúdelas para que se sequen. Tuesta los
piñones en una sartén sin grasa hasta que
presenten una tonalidad dorada, retíralos del fuego
y deja que se enfríen.

2   Entretanto lava los tomates, pártelos por la
mitad y retira la inserción del tallo. Deja escurrir las
bolas de *mozzarella* en un colador y pártelas por la
mitad. Salpimienta las mitades de tomate y queso.

3   Para preparar el aliño mezcla el vinagre con la
sal y la pimienta, e incorpora luego el aceite. Coloca
las hojas de espinacas en dos fuentes grandes.
Distribuye por encima las mitades de tomate y
mozzarella. Rocía la ensalada con el aliño y reparte
los piñones por encima.

Ensalada italiana con pan

CON RÚCULA, TOMATES Y ACEITUNAS

Para dos personas
1 pimiento amarillo (aprox.
170 g) | 200 g de pepinos | Sal |
1 cebolla roja pequeña | 1 diente
de ajo | 1 y ½ cucharadas de
vinagre de Jerez | 2 cucharaditas
de mostaza de Dijon | Pimienta
negra recién molida |
2 y ½ cucharadas de aceite de
oliva | 70 g de chapata (o pan
de centeno) | 50 g de rúcula (o
lechuga *frisée*, espinacas *baby*
o acelgas rojas) | 2 tallos de
albahaca | 150 g de tomates
cherry | ½ cucharadita de
azúcar | 50 g de alcaparrones |
20 g de aceitunas negras sin
hueso
Tiempo de preparación: 50 min.
Por ración: aprox. 300 kcal, 6 g
de proteínas, 17 g de grasa,
27 g de hidratos de carbono.

1   Pela el pimiento con un pelador, córtalo en cuatro trozos, retira las semillas y lávalo. Corta cada uno de los cuartos en tiras delgadas. Pela los pepinos, pártelos por la mitad en sentido longitudinal y retira las semillas con una cucharilla; corta las dos mitades en rodajas delgadas o bien rállalas y sálalas un poco. Pela la cebolla, pártela por la mitad y córtala en tiras muy delgadas. Pela el ajo y pícalo.

2   Para preparar el aliño mezcla el vinagre con la mostaza, la sal y la pimienta, y luego, poco a poco, agrega dos cucharadas de aceite de oliva. Mezcla el aliño con las tiras de pimiento, las rodajas de pepino, las tiras de cebolla y el ajo, tápalo y deja que repose.

3   Corta el pan en dados que quepan bien en la boca y, sin dejar de removerlos, ásalos en una sartén sin grasa; resérvalos. Lava la rúcula y sacúdela para que se seque. Lava la albahaca y sécala con papel de cocina. Retira las hojitas del tallo tanto de la rúcula como de la albahaca.

4   Lava los tomates y sécalos bien con papel de cocina. Calienta el resto de aceite en una sartén y asa allí los tomates durante 3-4 minutos hasta que queden un poco dorados y se agrieten. Aderézalos con azúcar, sal y pimienta. Agrega los tomates a la ensalada. Echa dos cucharadas de agua a la grasa de haber cocinado los tomates. Añade este caldo a la ensalada junto a los dados de pan, la rúcula y la albahaca. Lava los alcaparrones, sécalos con papel de cocina y, junto con las aceitunas, repártelos por encima de la ensalada.

REBANADAS DE CALABACÍN A LA PARRILLA

Rebanadas de calabacín a la parrilla

CON EL AROMA ESPECIADO DEL PARMESANO

Para dos personas

500 g de calabacines grandes | 1 limón ecológico pequeño | 10 g de piñones | 4 ramas de albahaca | 1-1 y ½ cucharadas de aceite de oliva | Sal | Pimienta negra recién molida | ¼ cucharadita de copos de chili (por ejemplo, de pimiento de Ezpeleta) | 2 cucharadas de tomates *sprinkles* | 50 g de queso de pasta dura (en un trozo, ver la página 10)

Tiempo de preparación: 35 minutos.

Por ración: aprox. 240 kcal, 13 g de proteínas, 18 g de grasa, 6 g de hidratos de carbono.

1   Precalienta el horno a 100 °C. Lava los calabacines y sécalos con papel de cocina; luego hazlos tiras en sentido longitudinal. Lava el limón y sécalo bien. Ralla la cáscara con un rallador normal grueso y exprime una cucharada de zumo. Tuesta los piñones en una sartén sin grasa hasta que presenten una tonalidad dorada. Lava la albahaca, sécala con papel de cocina y separa las hojas del tallo.

2   Calienta a fuego fuerte una sartén para asar y píntala con media cucharadita de aceite. Coloca las tiras de calabacín, por tandas, en sentido transversal con respecto a las marcas de la sartén y ásalas 1-2 minutos por cada lado hasta que queden blandas y ligeramente al dente. Sírvelas en un plato grande, salpimienta y mantenlas calientes en el horno hasta que estén asadas todas.

3   Rocía las tiras de calabacín aún calientes con el zumo de limón, esparce sobre ellas la albahaca, la ralladura de limón, los copos de chili, los piñones y el tomate. Ralla el queso por encima y sírvelas de inmediato.

Ensalada de rábanos con queso

MUY SABROSA CON LA MOSTAZA

Para dos personas

150 g de rábanos | Sal | 3 cucharadas de vinagre de manzana | 2 cucharaditas de mostaza de Dijon | 80 g de queso fresco (60% de materia grasa) | Pimienta verde recién molida | 1 manzana (aprox. 150 g) | 1 ramillete de rabanitos | 6-8 ramas de cebollino | 200 g de queso de leche agria

Tiempo de preparación: 25 minutos.

Marinado: 10 minutos.

Por ración: aprox. 240 kcal, 37 g de proteínas, 5 g de grasa, 11 g de hidratos de carbono.

1   Pela el rábano, pártelo en cuatro trozos y corta cada uno de los cuartos en rodajas muy delgadas; sálalos y reserva. Entretanto, para preparar el aliño mezcla bien el vinagre y la mostaza con el queso fresco. Salpimienta.

2   Lava la manzana, córtala en cuatro trozos, retira el corazón, corta los cuartos en rodajas delgadas y mézclalos de inmediato con el aliño. Lava los rabanitos y córtalos en bastones, rodajas o rállalos. Lava el cebollino, sécalo con papel de cocina y córtalo en anillos delgados. Corta el queso en rodajas muy delgadas.

3   Seca el rábano con papel de cocina y mézclalo con el queso, los rabanitos y la manzana. Dejar reposar la ensalada al menos 10 minutos, luego espolvorea por encima el cebollino y sírvela. A este plato le van muy bien unos panecillos de centeno.

Sopa de papaya y lentejas

CON *TOPPING* DE YOGUR Y CHILI

Para dos personas
80 g de cebolla roja | 1 diente de ajo | 130 g de zanahorias | 15 g de jengibre fresco | 70 g de lentejas rojas | 1 cucharada aceite de oliva | 1 cucharadita de curry en polvo | 500 ml de caldo de verduras | 1 papaya pequeña madura (aprox. 200 g) | 1 lima ecológica | 100 ml de zumo de manzana | Sal y pimienta | 100 g de yogur (3,5% de materia grasa) | ¼-½ cucharadita de copos de chili (por ejemplo, pimiento de Ezpeleta)
Tiempo de preparación: 50 minutos.
Por ración: aprox. 270 kcal, 12 g de proteínas, 8 g de grasa, 30 g de hidratos de carbono.

1   Pela las cebollas y el ajo y trocéalos. Lava las zanahorias, pélalas y córtalas en trozos de 1 cm. Pela el jengibre y rállalo. Lava las lentejas y déjalas escurrir. Calienta aceite en una sartén y rehoga la cebolla hasta que adquiera una tonalidad cristalizada. Rehoga el ajo durante un minuto. Añade las zanahorias y, removiendo constantemente, rehoga todo 2-3 minutos más. Agrega el curry y las lentejas. Incorpora el caldo y llévalo a ebullición retirando la espuma que se vaya formando. Tapa la sopa y déjala cocer a fuego medio 20 minutos.

2   Pela la papaya, pártela por la mitad, retira el hueso, corta algunas rebanadas finas y resérvalas. Corta el resto en dados grandes y añádelos a la sopa. Lava la lima y sécala; ralla la cáscara y exprime 2-3 cucharadas del zumo.

3   Bate la sopa con el zumo de manzana hasta hacerla un puré. Adereza con la sal, la pimienta, la mitad de la cáscara de lima y 2-3 cucharadas del zumo de la misma. Mezcla el yogur con la sal. Sirve la sopa y pon encima de cada ración una pella de yogur. Coloca las rodajas de papaya y espolvorea con el resto de cáscara de lima y los copos de chili.

Sopa de tomate y albaricoque

CON UN AGRIDULCE *TOPPING* DE YOGUR

Para dos personas
80 g de cebollas | 200 g de albaricoques maduros y aromáticos | ½ vaina de vainilla | 1 cucharada de aceite de oliva | 2 cucharaditas de tomate concentrado | 150 ml de caldo de verduras (ver la receta de la página 26) | 1 lata de tomate en trozos (400 g de contenido escurrido) | 1 hoja de laurel | 1-2 ramas de albahaca | 100 g de yogur (1,5% de materia grasa) | Sal | Pimienta negra recién molida | 1 cucharadita de mermelada de albaricoque | ¼ cucharadita de copos de chili
Tiempo de preparación: 40 minutos.
Por ración: aprox. 160 kcal, 6 g de proteínas, 6 g de grasa, 18 g de hidratos de carbono.

1   Pela la cebolla y pícala. Lava los albaricoques, sécalos con papel de cocina, pártelos por la mitad, retira el hueso y luego parte cada una de las mitades en dos trozos iguales. Corta la vaina de vainilla en sentido longitudinal y raspa la médula. Calienta el aceite y rehoga la cebolla hasta que quede con aspecto cristalizado. Agrega los albaricoques y, sin dejar de remover, rehoga 2-3 minutos más. Añade el concentrado de tomate y prosigue la cocción dos minutos más. Incorpora el caldo y el tomate de lata. Agrega la médula y la vaina de la vainilla y la hoja de laurel. Lleva la sopa a ebullición y déjala cocer 10 minutos tapada y a fuego lento.

2   Lava la albahaca y sécala con papel de cocina; separa las hojitas del tallo. Mezcla el yogur con algo de sal, pimienta, mermelada y la mitad de los copos de chili.

3   Retira la vaina de la vainilla y la hoja de laurel. Bate la sopa y, si fuera necesario, añade algo de caldo. Salpimienta la sopa, sírvela en dos platos y coloca una pella de yogur en cada una de ellos; remueve ligeramente. Espolvorea por encima el resto de los copos de chili y la albahaca.

SOPA DE PAPAYA Y LENTEJAS

Gazpacho clásico

REFRESCANTE PLACER VERANIEGO

Para dos personas
500 g de tomates aromáticos |
50 g de *baguette* del día
anterior | 2 dientes de ajo |
4 ramas de albahaca | 200 ml
de fondo de verduras (de bote) |
1 cucharada de aceite de oliva |
1 cucharada de vinagre de Jerez
| Sal | Pimienta negra recién
molida | 1 cucharadita de
pimentón ahumado (ver la
página 11) | 1 pizca de pimienta
de Cayena | ½ cucharadita de
comino molido | 1 pimiento rojo
| ⅓ de pepino | 3 cebolletas
Tiempo de preparación: 35 min.
Enfriado: 3-4 horas.
Por ración: aprox. 200 kcal,
7 g de proteínas, 7 g de grasa,
27 g de hidratos de carbono.

1 Retira la inserción del tallo de los tomates. Escáldalos durante un instante, pélalos, pártelos por la mitad y retira las semillas. Trocea dos de ellos en dados pequeños y resérvalos; corta el resto en trozos grandes. Quita la corteza del pan y remójala en agua de 5 a 10 minutos, luego presiónalo para que escurra. Pela y pica el ajo. Lava la albahaca, sécala con papel de cocina, reserva algunas hojitas y pica el resto.

2 Prepara con la batidora un puré con los tomates troceados, el pan, el ajo, la albahaca, el fondo de verduras, el aceite y el vinagre. Adereza ese puré con sal, la pimienta de ambas clases y el pimentón, y déjalo enfriar en la nevera 3-4 horas.

3 Antes de servir el gazpacho pela el pimiento (opcional), pártelo por la mitad, retira las pepitas y lávalo. Luego pícalo en trozos pequeños. Pela el pepino, pártelo por la mitad, retira las semillas y pícalo muy fino. Lava las cebolletas y córtalas en anillos muy delgados.

4 Mezcla las verduras con los dados de tomate y salpimienta. Sirve la sopa fría en platos hondos, o bien en vasos, y coloca en el centro la mezcla de verduras. Decora con la albahaca.

variante gazpacho afrutado

Se puede sustituir la mitad de los tomates por sandía madura. Prepara la base de sopa con un pimiento amarillo, dos albaricoques maduros y cebolletas. En lugar del pimentón ahumado se puede utilizar el dulce.

consejo Tuesta 20 g de almendras laminadas en una sartén sin grasa hasta que queden doradas y espolvoréalas por encima del gazpacho. O bien cuece 1-2 huevos, asústalos con agua fría, pélalos, pícalos en dados y añádelos al gazpacho. También puedes tostar dos rebanadas de pan, frotarlas con ½ diente de ajo, partirlas por la mitad y servirlas junto al gazpacho.

Hamburguesas de tofu con tomates

ESPECIADO Y PICANTE POR LA *HARISSA*

Para dos personas
70 g de calabacín | 1 zanahoria (aprox. 70 g) |
200 g de tofu (natural) | 100 g de cebollas | 1 huevo
(tamaño S) | 1 cucharadita de sal de hierbas |
2 cucharaditas de salsa de soja | Pimienta negra |
20 g de copos de avena duros | 1 y ½ cucharadas
de aceite de oliva | 2 cucharaditas de tomate
concentrado | 1 cucharadita de miel de acacia |
1 lata de tomates en trozos (400 g de contenido
escurrido) | 150 ml de caldo de verduras (ver la
receta de la página 26) | ½-1 cucharadita de
harissa | ½ cucharadita de comino molido |
Sal | 2 ramas de tomillo
Tiempo de preparación: 1 hora y 5 minutos.
Por ración: aprox. 300 kcal, 18 g de proteínas,
17 g de grasa, 19 g de hidratos de carbono.

1   Lava el calabacín. Lava las zanahorias y pélalas.
Ralla ambas hortalizas a tamaño grande y
presiónalas entre papel de cocina para que se
sequen. Corta el tofu por la mitad en sentido
transversal, sécalo con papel de cocina y
desmigájalo. Pela las cebollas y trocéalas. Incorpora
la mitad al tofu y reserva el resto. Bate el huevo y
añádele la sal de hierbas, la salsa de soja, la pimienta
y el tofu. Entremezcla los copos de avena y la verdura,
y deja que se hinchen durante 10 minutos.

2   Calienta media cucharada de aceite y rehoga allí
el resto de la cebolla. Añade el concentrado de tomate
y la miel y, sin dejar de remover, cocínalo durante un
instante más. Luego añade el tomate y el caldo. Lleva
a ebullición y, tapado, deja que cueza a fuego medio
durante 15 minutos. Destápalo y deja que hierva hasta
que casi se haya evaporado todo el líquido. Adereza
con la *harissa*, el comino y la sal. Calienta el resto del
aceite en una sartén. Prepara cuatro bolas con la masa
de tofu, colócalas en la sartén, aplástalas y ásalas 4-5
minutos por cada lado. Lava el tomillo, sécalo con
papel de cocina y pica las hojas. Sirve la hamburguesa
con las verduras y espolvorea por encima el tomillo.

Bulgur libanés con berenjenas

DULCE Y PICANTE POR LAS PASAS SULTANAS

Para dos personas
300 ml de caldo de verduras (ver la receta de la
página 26) | 75 g de *bulgur* | 2 cebollas rojas
pequeñas | 1 berenjena grande (aprox. 400 g) |
4 ramas de perejil liso | 1 cucharada de aceite
de oliva | Sal | 20 g de pasas sultanas | 2
cucharaditas de *aceto balsamico* | Pimienta
negra recién molida | ¼-½ cucharadita de
pimienta de Cayena y otro tanto de canela y
cúrcuma en polvo | 50 g de nata agria
Tiempo de preparación: 40 minutos.
Por ración: aprox. 290 kcal, 8 g de proteínas,
9 g de grasa, 41 g de hidratos de carbono.

1   Lleva a ebullición 200 ml de caldo. Lava el
bulgur y agrégalo, deja que hierva, tapa y deja cocer
a fuego medio 10 minutos (o los que marque las
indicaciones del paquete). Una vez cocido,
mantenlo templado a base de dejarlo tapado.

2   Pela las cebollas, pártelas por la mitad y hazlas
tiras delgadas. Lava la berenjena, sécala y trocéala
en dados de 1,5 cm de tamaño. Lava el perejil,
sécalo con papel de cocina y retira las hojitas.
Calienta aceite en un *wok*. Rehoga la cebolla unos
tres minutos removiendo constantemente. Agrega
después los dados de berenjena y, sin dejar de
remover, rehoga dos minutos más. Añade la sal y
sigue cocinando 4-5 minutos hasta que pierda
volumen. Agrega las pasas y el resto de caldo y, sin
tapar, deja que hierva a fuego medio cinco minutos
más hasta que se ablanden las pasas.

3   Adereza con el vinagre, la pimienta de ambas
clases, la canela y cúrcuma. Mezcla con el *bulgur*,
caliéntalo todo y sirve. Bate la nata agria y coloca
una pella en cada uno de los platos. Espolvorea por
encima el perejil.

BULGUR LIBANÉS CON BERENJENAS

Peperonata con risotto de azafrán

EXQUISITA INCLUSO PARA INVITADOS

Para dos personas
700 g de pimientos rojos y amarillos | 1 chalota | Una pizca de hebras de azafrán | 2-3 ramas de perejil liso | 2-3 granos de pimienta | 450 ml de caldo de verduras (ver la receta de la página 26) | 1 y ½ cucharadas de aceite de oliva | 100 g de arroz para *risotto* (por ejemplo, *Vialone*) | 50 ml de vino blanco seco (o más caldo) | 3 cucharadas de queso fresco de pasta dura rallado (ver la página 10) | Sal marina | Pimienta negra recién molida | 1 cucharada de *aceto balsamico bianco* | Nuez moscada recién rallada | ¼-½ cucharadita de copos de chili (por ejemplo, pimiento de Ezpeleta)

Tiempo de preparación: 45 min.
Por ración: aprox. 350 kcal, 9 g de proteínas, 10 g de grasa, 50 g de hidratos de carbono.

1 Pela primero los pimientos, córtalos en cuatro trozos, retira las pepitas, lávalos y córtalos en rombos o cuadrados de 2 × 2 cm. Pela la chalota y pícala fina. Machaca el azafrán en un mortero y añade una cucharada de agua caliente. Lava el perejil, sécalo con papel de cocina, pica la mitad y retira las hojas del resto. Machaca los granos de pimienta en el mortero.

2 Calienta el caldo. Calienta media cucharada de aceite y rehoga en él la chalota hasta que adquiera una tonalidad cristalizada. Añade el arroz y, sin dejar de remover, rehógalo hasta que también quede cristalizado. Agrega el vino y remueve hasta que empiece a humear. Echa por encima un cucharón pequeño de caldo caliente, deja que se evapore y remueve de vez en cuando. Cuando el caldo se haya evaporado agrega otro cucharón de líquido. Pasados 10 minutos, agrega el líquido de azafrán y 20 minutos más tarde el arroz estará blando con su interior un tanto duro. Si te gusta algo más blando, deberás agregar un poco más de líquido y dejar que el arroz se cocine otros 3-4 minutos. Para finalizar añádele el queso y salpimienta el *risotto*.

3 Cuando el arroz haya recibido su primera ración de caldo, calienta el resto del aceite. Rehoga ligeramente los pimientos y déjalos a fuego lento 10-12 minutos, removiendo de vez en cuando. Luego incorpora el vinagre. Adereza los pimientos con la sal, la pimienta, la nuez moscada y los copos de chili. Añade también el perejil cortado. Sirve el *risotto* en el centro del plato, coloca la *peperonata* alrededor y espolvorea por encima con el resto del perejil.

Berenjenas al horno con cuscús de tomate

EXQUISITA VERDURA DE VERANO

Para dos personas
1 diente de ajo | Sal | 1 y
½ cucharadas de aceite de oliva
| ¼ cucharadita de pimienta de
Cayena | 1 berenjena grande
(aprox. 500 g) | 300 g de tomates
cherry | 1 cucharadita de azúcar
| 1 chalota | 80 g de cuscús
instantáneo | 1 cucharadita de
ras el hanout (ver la página 11)
| 2 cucharaditas de tomate
concentrado | 125 ml de caldo
de verduras (ver la receta de la
página 26) | 2 ramas de perejil
liso | 2 ramas de menta | 150 g
de yogur (1,5% de materia
grasa) | Papel vegetal para la
bandeja del horno
Tiempo de preparación: 40 min.
Horneado: 1 hora y 5 minutos.
Por ración: aprox. 320 kcal,
12 g de proteínas, 9 g de grasa,
45 g de hidratos de carbono.

1   Precalienta el horno a 175 °C. Forra una bandeja de horno con papel vegetal. Pela el ajo, pícalo fino y machácalo con ¼ cucharadita de sal. Mezcla una cucharada de aceite con la pimienta de Cayena y añádelo a la sal de ajo.

2   Lava la berenjena, sécala bien y córtala por la mitad en sentido longitudinal. Usa un cuchillo afilado para realizar cortes en la carne de la berenjena, en forma de rombo y de unos 5 mm de profundidad; también debes despegar un poco la carne de la berenjena a lo largo de la cáscara. Pinta la superficie con la mezcla de aceite. Lava los tomates, sécalos y córtalos por la mitad; retira la inserción del tallo. Adereza la zona de corte con algo de sal y azúcar.

3   Coloca las berenjenas y los tomates sobre la bandeja forrada y ásalos en el horno una hora (no es necesaria la circulación de aire), hasta que las mitades de la berenjena estén hechas y blandas como mantequilla.

4   Pela la chalota y pícala. Mezcla el cuscús con el *ras el hanout* y ¼ cucharadita de sal. Calienta el resto de aceite en una cazuela y rehoga allí la chalota hasta que adquiera aspecto cristalizado. Agrega el concentrado de tomate y, sin dejar de remover, sigue rehogando hasta que comience a despedir aroma.

5   Añade el cuscús y rehógalo un instante, luego añade el caldo. Lleva todo a ebullición, retira la cazuela del fuego y, manteniéndolo tapado, deja que el cuscús se hinche cinco minutos. Entretanto lava el perejil y la menta y sécalos con papel de cocina. Pica el perejil. Deja enteras las hojas más pequeñas de la menta y resérvalas, y pica el resto. Mezcla la menta picada con el perejil, una pizca de sal y el yogur.

6   Separa el cuscús con un tenedor. Agrega algunos tomates asados. Sírvelo con cada una de las mitades de la berenjena, coloca encima el resto de los tomates y decora con las hojas de menta. Pon en un bol pequeño la salsa de yogur de menta.

TALLARINES CON VERDURA

Pesto ligero

Pica 30 g de hojas de perejil y otro tanto de albahaca. Pela dos dientes de ajo y pícalos. Echa en el vaso de la batidora el perejil, la albahaca, el ajo, 20 g de queso de pasta dura recién rallado, una cucharadita de ralladura de la piel de un limón ecológico y dos del zumo. Prepara con todo un puré fino. Incorpora poco a poco caldo de verduras hasta que hayas logrado la consistencia deseada. Para finalizar añade una cucharada de aceite de oliva. Salpimienta el pesto.

HUMMUS DE TOMATE CON PATATAS AL HORNO

Tallarines con verdura

CON UN AROMÁTICO *PESTO*

Para dos personas
150 g de guisantes (frescos o congelados) | Sal |
150 g de habas (frescas o congeladas) | 100 g
de espinacas | 1 chalota | 1 diente de ajo |
4 ramas de perejil liso | 100 g de tallarines (por
ejemplo, de espinacas) | 1 cucharadita de aceite
de oliva | 200 ml de caldo de verduras |
2 cucharadas de *pesto genovese* (aprox. 40 g) |
Pimienta negra | Nuez moscada recién rallada
Tiempo de preparación: 50 minutos.
Por ración: aprox. 400 kcal, 20 g de proteínas,
10 g de grasa, 58 g de hidratos de carbono.

1   Cuece los guisantes frescos en un cestillo para
vapor 4-5 minutos, luego asústalos con agua fría y
déjalos escurrir. Repite la misma operación durante
2-3 minutos con las habas frescas (en ambos casos,
si el producto es congelado, deberás seguir las
instrucciones del envase). Presiona las habas para
que se suelten de su vaina. Lava las espinacas con
abundante agua y déjalas escurrir. Pela la chalota y
el ajo y pícalos finamente. Lava el perejil, sécalo con
papel de cocina y separa las hojas.

2   Cuece los tallarines en el agua salada, de
acuerdo con las instrucciones del paquete, hasta
que queden al dente. Calienta aceite en un *wok* y
rehoga allí la chalota hasta que quede con aspecto
cristalizado. Agrega el ajo y rehoga 30 segundos
más; luego añade el caldo. Lleva todo a ebullición,
agrega las espinacas, tapa y déjalo hervir 1-2
minutos hasta que las hojas pierdan su tersura.
Luego aparta las espinacas hacia el borde del *wok*.
Echa el *pesto* al caldo y caliéntalo. Añade los
guisantes y las judías, y calienta toda la verdura
durante un instante. Cuela los tallarines y mézclalos
con la verdura, aderezas con la sal, la pimienta y la
nuez moscada, y espolvorea por encima el perejil.

Hummus de tomate con patatas al horno

CON UN TOQUE ORIENTAL DE *HARISSA* Y COMINOS

Para dos personas
400 g de patatas nuevas para cocer |
1 y ½ cucharaditas de aceite de oliva |
¼-½ cucharadita de comino negro (ajenuz o
neguilla) | 1 lata de garbanzos (250 g de peso
escurrido) | 1 limón ecológico | 200 g de
tomates | 2 cucharadas de concentrado de
tomate | 1 diente de ajo | 15 g de tomates secos
(sin aceite) | 4 cucharadas de queso de pasta
dura recién rallado (ver la página 10) | Sal |
Pimienta negra recién molida | 1 cucharadita de
harissa | ½ cucharadita de comino molido
Tiempo de preparación: 45 minutos.
Por ración: aprox. 300 kcal, 14 g de proteínas,
9 g de grasa, 41 g de hidratos de carbono.

1   Precalienta el horno a 220 ºC, cepilla las
patatas debajo del agua, pártelas por la mitad y
sécalas con papel de cocina. Forra una bandeja de
papel de aluminio, píntala con media cucharadita
de aceite y espolvorea por encima el comino negro.
Coloca en ella las patatas con la superficie de corte
hacia abajo. Realiza unos cortes en la carne de las
patatas y píntalas con el resto del aceite. Ásalas en
el horno (en la zona central; a 200 ºC si es con
circulación de aire) de 20 a 25 minutos.

2   Lava los garbanzos en un colador y déjalos
escurrir. Lava el limón con agua caliente y sécalo. Ralla
una cucharadita de la cáscara y exprímelo. Lava los
tomates, retira la inserción del tallo, córtalos en trozos
grandes y haz un puré con ellos y el zumo de limón.
Agrega la mitad de los garbanzos y prepara con todo
un puré fino. Agrega el resto del concentrado de
tomate y la cáscara de limón y remueve todo bien.

3   Pela el ajo y pícalo muy fino. Pica también los
tomates secos. Mézclalos con el queso e
incorpóralos al *hummus*. Adereza con la sal, la
pimienta, la *harissa* y los cominos. Sala algo las
patatas y sírvelas junto al *hummus* de tomate.

Tortillas de maíz
con relleno de espinacas

ABSOLUTAMENTE IRRESISTIBLES

Para dos personas
2 chalotas | 1 diente de ajo |
1-2 ramas de tomillo | 1 lima
ecológica | 150 g de espinacas |
150 g de champiñones
marrones | 1 cucharadita de
aceite de oliva | Sal | Pimienta
negra recién molida | 200 g de
tofu (natural) | 2-4 cucharadas
de leche de soja |
1-2 cucharaditas de curry en
polvo | 2 tortillas de maíz (de
aprox. 40 g cada una) |
½ cucharadita de comino negro |
½ cucharadita de copos de chili
Tiempo de preparación: 1 hora.
Por ración: aprox. 285 kcal,
17 g de proteínas, 11 g de
grasa, 34 g de hidratos
de carbono.

1   Pela los ajos y pícalos. Lava el tomillo y sécalo con papel de cocina; retira las hojitas y pícalas. Lava la lima con agua caliente y sécala; ralla la cáscara y exprime el zumo. Lava bien las espinacas con abundante agua. Lava los champiñones, sécalos y córtalos en rodajas de 1 cm de grosor.

2   Calienta el aceite, rehoga allí la chalota hasta que adquiera un aspecto cristalizado. Agrega el ajo y rehoga 30 segundos más. Añade las espinacas y, tapado. Cocínalo 1-2 minutos más hasta que las hojas pierdan su tersura. Luego destapa el recipiente y rehoga dos minutos más hasta que el agua se evapore. Salpimienta las espinacas. Asa los champiñones en una sartén a fuego lento sin grasa hasta que adquieran un tono tostado y se haya evaporado el líquido que sueltan. Salpimienta los champiñones y mézclalos con la mitad del tomillo.

3   Realiza con la batidora un puré con el tofu y la leche de soja. Adereza con la sal, la pimienta, el curry, la ralladura y el zumo de la lima. Pinta la mitad de las tortillas de maíz con la pasta de tofu y espolvorea por encima el resto de tomillo, el comino negro y los copos de chili.

4   Distribuye por encima las espinacas y los champiñones. Dobla las tortillas por la mitad hasta formar una media luna y ásalas ligeramente por ambos lados en una gran sartén sin grasa. Sirve las tortillas cuando aún estén calientes.

VERDURAS CON CHAMPIÑONES Y PIMIENTO

Frittata mediterránea con verdura

VERDURAS MULTICOLORES

Para dos personas
300 g de pimientos rojos y otro tanto de berenjenas y de calabacines | 3 huevos (tamaño M) | 50 ml de leche (1,5% de materia grasa) | 40 g de queso fresco (16% de materia grasa) | 3 cucharadas de queso de pasta dura recién rallado (ver la página 10) | Sal | Pimienta negra recién molida | 1 cucharadita de hierbas provenzales | 1 cucharada de aceite de oliva | 2 ramas de tomillo
Tiempo de preparación: 50 minutos.
Por ración: aprox. 305 kcal, 21 g de proteínas, 19 g de grasa, 12 g de hidratos de carbono.

1   Corta los pimientos por la mitad, lávalos y corta cada una de las mitades en tiras. Lava las berenjenas y los calabacines y córtalos en sentido longitudinal en rebanadas de 5 a 7 mm de grosor.

2   Mezcla los huevos con la leche y el queso fresco. Incorpora el queso de pasta dura. Sazona la mezcla con la sal, la pimienta y las hierbas provenzales.

3   Calienta una sartén mediana y píntala con un poco de aceite. Asa allí las verduras por tandas, hasta que queden ligeramente tostadas y al dente. Luego sácalas de la sartén y salpimiéntalas.

4   Vuelve a echar las verduras a la sartén. Añade por encima la mezcla de huevo y baja de inmediato la temperatura. Déjalo 10 minutos, tapado y a fuego muy lento, hasta que el huevo cuaje. Lava el tomillo, sécalo con papel de cocina y pica las hojitas. Espárcelas sobre la *frittata* y sirve de inmediato.

Verduras con champiñones y pimiento

ADEREZADAS AL ESTILO MEDITERRÁNEO

Para dos personas
400 g de champiñones marrones | 500 g de pimientos rojos | 1 ramillete de cebolletas | 1 diente de ajo | 15 g de aceitunas negras con hueso (o 10 g sin hueso) | 40 g de queso de cabra (feta, con 45% de materia grasa) | ½ ramillete de perejil | 1 cucharada de aceite de oliva | Sal | Pimienta negra recién molida | 1-2 cucharaditas de zumo de limón | 2 tortillas de maíz (de aprox. 40 g cada una) | 50 g de queso fresco (16% de materia grasa) | ½ cucharadita de copos de chili
Tiempo de preparación: 55 minutos.
Por ración: aprox. 350 kcal, 19 g de proteínas, 12 g de grasa, 39 g de hidratos de carbono.

1   Lava los champiñones, frótalos bien y córtalos en rodajas delgadas. Pela los pimientos (opcional), pártelos por la mitad, retira las semillas, lávalos y trocéalos en dados de 2 cm de tamaño. Lava las cebolletas. Corta la parte blanca en trozos de 2 cm y la parte verde en anillos delgados. Pela el ajo y pícalo fino. Quita el hueso de las aceitunas y pícalas en trozos grandes. Desmigaja el queso. Lava el perejil, sécalo con papel de cocina y pícalo.

2   Calienta en un *wok* la mitad del aceite. Rehoga en él durante un minuto la parte blanca de las cebolletas. Agrega los dados de pimiento y, sin dejar de remover, ásalo todo ocho minutos. Luego retíralo al borde del *wok*. Echa en el centro el resto del aceite, añade los champiñones y, removiendo constantemente, ásalos 4-5 minutos. Agrega el ajo y la parte verde de las cebolletas. Aderezar con la sal, la pimienta y el zumo de limón. Distribuye el queso sobre la verdura y, tapado y a fuego medio, caliéntalo 2-3 minutos. Mezcla el queso fresco con los copos de chili y unta con ellos las tortillas. Coloca encima la verdura y espolvoréalas con el perejil y las aceitunas.

Verduras de verano en papel vegetal y acompañadas con un *dip*

UNA SORPRESA CON UNA BONITA ENVOLTURA

Para dos personas
250 g de patatas pequeñas para cocer | 120 g de cebollas rojas | 150 g de tomates cherry | 150 g de champiñones marrones firmes | 2-3 ramas de tomillo | 200 g de calabacines firmes | 200 g de brócoli (también se puede utilizar coliflor o romanescu) | 1 cucharadita de aceite de oliva | Sal | Pimienta negra recién molida | 1 diente de ajo | 30 g de aceitunas negras con hueso (o bien 25 g sin hueso) | 1 cucharadita de alcaparras | 50 g de queso de oveja (feta, con 45% de materia grasa) | 150 g de yogur (1,5% de materia grasa) | Copos de chili | 2 pliegos de papel vegetal de cocina (30 × 60 cm cada uno) | Hilo de cocina
Tiempo de preparación: 45 min.
Horneado: 40 minutos.
Por ración: aprox. 270 kcal, 15 g de proteínas, 11 g de grasa, 27 g de hidratos de carbono.

1   Precalienta el horno a 200 °C. Lava bien las patatas, sécalas con papel de cocina y, sin pelar, córtalas en rodajas. Pela las cebollas y hazlas también rodajas. Lava los tomates y déjalos enteros. Lava los champiñones a base de frotarlos, retira los pedúnculos y, según su tamaño, corta los sombreretes por la mitad, en cuatro trozos o déjalos enteros.

2   Lava el tomillo, sécalo con papel de cocina y córtalo en 2-3 trozos. Lava el calabacín y córtalo en rodajas gruesas, en diagonal. Lava el brócoli y sepáralo en rosetones no demasiado pequeños (corta el calabacín y el brócoli a un tamaño mayor que el resto de los ingredientes para que toda la verdura se cocine al mismo tiempo).

3   Pinta con aceite la parte central de los pliegos de papel. Mezcla las patatas con las verduras, salpimienta la mezcla y colócala en el centro del papel. Distribuye por encima el tomillo. Cierra el papel por encima de la verdura y ata cada uno de los extremos con hilo de cocina. Coloca los paquetes en la bandeja del horno y ásalos (a altura media; a 180 °C si es con circulación de aire) durante 40 minutos.

4   Entretanto, para preparar el *dip* pela el ajo y pícalo. Retira el hueso de las aceitunas y pícalas muy finas. Lava las alcaparras, sécalas y pícalas también. Desmigaja el queso y, junto al yogur, prepara un puré. Agrega a esa mezcla el ajo y las aceitunas. Adereza el *dip* con la pimienta y los copos de chili. Coloca la verdura, sin sacarla de los paquetitos, en platos grandes y sírvela junto al *dip*.

variante Desmigaja el queso de oveja, repártelo por encima de la verdura, tal y como se ha descrito arriba, y ásalo dentro del papel vegetal.

COCA CON TOMATES CHERRY

Coca con tomates cherry

PARA UN PERFECTO *FEELING* VERANIEGO

Para dos personas
120 g de harina | ¼ cucharadita de sal |
½ cucharada de aceite de oliva | 6-8 ramas de
albahaca | 125 g de *quark* desnatado |
1 cucharadita de *harissa* | 70 g de queso de oveja
(feta, con 45% de materia grasa) | Pimienta
negra recién molida | 250 g de tomates cherry |
Papel vegetal para la bandeja del horno | Harina
para espolvorear la superficie de trabajo
Tiempo de preparación: 25 minutos.
Horneado: 12 minutos.
Por ración: aprox. 380 kcal, 22 g de proteínas,
10 g de grasa, 48 g de hidratos de carbono.

1   Mezcla a mano la harina con la sal, el aceite y
tres cucharadas de agua, y prepara una masa.
Eventualmente será necesario añadir un poco más
de agua para que la masa no quede pegajosa. Tapa
la masa y mantenla en un lugar frío hasta el
momento de su utilización.

2   Precalienta el horno a 240 °C (a 220° si es con
circulación de aire). Forra una bandeja de horno con
papel vegetal. Lava la albahaca, sécala con papel de
cocina, deja enteras algunas hojas y pica el resto.
Mezcla bien el *quark* con la *harissa*. Desmenuza el
queso, aplástalo con un tenedor y revuélvelo con la
albahaca picada; adereza con bastante pimienta.
Lava los tomates, sécalos bien, pártelos por la
mitad y retira la inserción del tallo.

3   Forma dos bolas con la masa y estíralas muy
bien sobre una superficie previamente enharinada
hasta formar dos cocas largas y ovaladas. Coloca
una al lado de la otra sobre la bandeja del horno y
píntalas con la mezcla de *quark*. Coloca los tomates
con la superficie de corte hacia arriba y sálalos
ligeramente. Cuece en el horno (a altura media)
durante 12 minutos hasta que queden crujientes.
Decora con las hojas de albahaca y sirve de
inmediato.

Albóndigas de *quark* con acelgas

SUAVES ALBÓNDIGAS CON VERDURA MUY SABROSA

Para dos personas
150 g de *quark* desnatado | 200 g de patatas para
cocer | Sal | 1 huevo (tamaño S) | 20-25 gramos de
harina | 400 g de acelgas | 2 chalotas | 1 diente de
ajo | 4 ramas de perejil liso | 1 cucharada de aceite
de oliva | 125 ml de caldo de verdura (ver la receta
de la página 26) | 100 ml de nata de soja |
Pimienta | 1-2 cucharaditas de zumo de limón
Tiempo de preparación: 1 hora y 20 minutos.
Escurrido: 1 hora.
Por ración: aprox. 350 kcal, 22 g de proteínas,
16 g de grasa, 29 g de hidratos de carbono.

1   Deja escurrir el *quark* durante una hora. Lava
bien las patatas y cuécelas 20 minutos en agua
salada. Sácalas del agua, pélalas y pásalas por el
pasapurés cuando aún estén calientes. Luego deja
que se enfríen. Mézclalas bien con el *quark*, el huevo
y ¼ cucharadita de sal. Añade la cantidad de harina
que pida hasta que la masa quede homogénea.
Tápala y resérvala en la nevera 30 minutos.

2   Lava las acelgas. Separa las pencas y pícalas;
corta las hojas en trozos. Pela la chalota y el ajo y
pícalos. Lava el perejil, sécalo y pícalo. Lleva a
ebullición bastante agua salada. Prepara con la
masa unas albóndigas del tamaño de una pelota de
ping-pong. Sumerge las albóndigas en el agua
hirviendo durante 8-10 minutos. Luego sácalas,
déjalas escurrir y mantenlas templadas.

3   Calienta el aceite y rehoga allí las chalotas y el ajo
hasta que adquieran un aspecto cristalizado. Añade
las pencas picadas de las acelgas y rehógalo todo tres
minutos. Agrega el caldo y, sin tapar, deja que hierva
6-8 minutos más. Después agrega las hojas de
acelgas y déjalo tapado dos minutos hasta que las
hojas pierdan su tersura. Riega con la nata de soja y
deja hervir, sin tapar, dos minutos más. Adereza con la
sal, la pimienta y el zumo de limón. Sirve las
albóndigas con acelgas y decora con el perejil.

Tentempiés de verano

1 *Quark* picante con tomates

GENIAL CON PAN ÁRABE O *WRAPS*

Para dos personas
Tiempo de preparación: 15 minutos.
Por ración: aprox. 130 kcal, 20 g de proteínas,
1 g de grasa, 9 g de hidratos de carbono.
250 g de *quark* desnatado | 1 cucharada de
concentrado de tomate | 1 cucharadita de miel
de acacia | 1 cucharadita de *sambal oelek* | Sal |
Pimienta negra | Salsa Worcester | 20 g de
tomates secos (sin aceite) | 200 g de tomates
aromáticos | 1 rama de perejil liso | 2 ramas de
albahaca

1   Mezcla el *quark* con el tomate concentrado, la
miel y el *sambal oelek* y luego sazónalo con la sal,
la pimienta y una salpicadura de salsa Worcester.

2   Pica muy finos los tomates secos. Lava los
tomates frescos, pártelos por la mitad y retira la
inserción del tallo. Retira las pepitas, pícalos y
sálalos ligeramente. Lava el perejil, el eneldo y el
cebollino y sécalos con papel de cocina. Pica el
perejil y la albahaca y, junto con los tomates,
revuélvelo todo con el *quark*.

2 *Dip* de tofu y pimiento

IDEAL CON PATATAS COCIDAS SIN PELAR

Para dos personas
Tiempo de preparación: 20 minutos.
Por ración: aprox. 140 kcal, 10 g de proteínas,
7 g de grasa, 8 g de hidratos de carbono.
1 pimiento rojo pequeño | 4 ramas de perejil
liso | 200 g de tofu (natural) | 75 g de *ajvar*
(*mousse* de pimiento, de bote) | Sal | Pimienta
negra recién molida | 1 cucharadita de pimentón
dulce | ¼-½ cucharadita de pimienta de Cayena
| 1 salpicadura de zumo de limón

1   Pela el pimiento, pártelo por la mitad y lávalo.
Trocea en dados muy pequeños una de las mitades
y con la otra mitad realiza tiras delgadas. Lava el
perejil y sécalo con papel de cocina. Reserva
algunas hojas y pica el resto.

2   Seca el tofu con papel de cocina, desmigájalo,
mézclalo con el *ajvar* y usa la batidora para preparar
un puré suave. Sazona el *dip* con la sal, la pimienta
de ambas clases, el pimentón y el zumo de limón.
Mezcla bien el perejil picado con los dados de pimiento y agrégalo al *dip*. Sírvelo con las tiras de pimiento y adorna con las hojitas de perejil.

3 Batido cremoso de bayas

ESTIMULANTE Y AFRUTADO

Para dos vasos
Tiempo de preparación: 15 minutos.
Congelación: 3-4 horas.
Por vaso: aprox. 110 kcal, 1 g de proteínas,
1 g de grasa, 25 g de hidratos de carbono.
1 plátano pequeño (70 g de pulpa) | 250 g de
mezcla de bayas (grosellas, frambuesas, fresas,
arándanos...; pueden ser congeladas) | 2 ramas
de menta | 100 ml de zumo de manzana | 150 ml
de agua mineral | 1 cucharadita de zumo de lima

1   Pela el plátano y córtalo en rodajas. Limpia las
bayas bajo el agua y luego déjalas escurrir. Mezcla
toda la fruta y ponla en el congelador unas tres o
cuatro horas (si las bayas son congeladas, no las
descongeles previamente).

2   Lava la menta y sacúdela para que se seque.
Pon la fruta congelada en una batidora de vaso
junto al zumo de manzana y el agua mineral y
prepara con todo un puré fino. Dale sabor con el
zumo de lima. Reparte el batido en dos vasos,
adórnalos con la menta y sírvelos fríos.

OTOÑO

Una vez más, la naturaleza derrama sobre nosotros su cuerno de la abundancia: espléndidas calabazas, fragantes setas del bosque, tiernas remolachas rojas, crujientes coles, así como manzanas, peras, ciruelas o membrillos recién recolectados en nuestro propio jardín o comprados en los mercadillos semanales. De esta abundancia pueden surgir exquisitos platos otoñales que sacian al comensal y, además, le permiten adelgazar.

Ensalada de remolacha roja y piña

AFRUTADA Y SABROSA POR LA PIÑA
Y EL JENGIBRE

Para dos personas
300 g de remolacha roja (empaquetada al vacío)
| 10 g de jengibre fresco | 4 cucharadas de
vinagre balsámico de manzana | Sal marina |
Pimienta de vainilla (ver la página 11) |
1 cucharada de aceite de avellanas tostadas | ¼
de piña fresca (aprox. 200 g de pulpa) |
½ granada | ½ paquetito de berros hortelanos
Tiempo de preparación: 30 minutos.
Por ración: aprox. 170 kcal, 3 g de proteínas, 6
g de grasa, 27 g de hidratos de carbono.

1   Ralla la remolacha o córtala en rodajas
delgadas. Pela el jengibre y rállalo fino.

2   Para preparar el aliño mezcla el vinagre con el
jengibre, la sal y la pimienta. Bate con unas varillas
el aceite y el vinagre. Mezcla este aliño con la
remolacha.

3   Retira el troncho central de la piña y los
posibles ojos oscuros. Corta la pulpa en trozos de
unos 2 × 4 cm.

4   Usa un cuchillo afilado para hacer un corte
transversal a la cáscara de la granada, luego separa
las dos mitades (ver la página 81). Extrae todos los
granos y mézclalos con los trozos de piña y la
remolacha roja.

5   Sirve la ensalada en platos. Lava bien los
berros, sécalos con papel de cocina y espolvoréalos
sobre la ensalada.

Lechuga hoja de roble con setas de ostra

REMATADA POR UN DELICIOSO
ADEREZO DE PERA

Para dos personas
1 lechuga de hoja de roble pequeña (aprox.
200 g) | 250 g de setas de ostra | 3 ramas de
tomillo | 1 pera madura pequeña (por ejemplo,
William Christ, de aprox. 150 g) | 2 cucharaditas
de vinagre de Jerez | 1 cucharadita de mostaza
de Dijon | 2 cucharaditas de sirope de arce | Sal
marina | Pimienta de vainilla (ver la página 11) |
1 cucharada de aceite de avellanas tostadas |
1 cucharada de aceite de oliva
Tiempo de preparación: 35 minutos.
Por ración: aprox. 150 kcal, 4 g de proteínas,
11 g de grasa, 9 g de hidratos de carbono.

1   Lava la lechuga y córtala en trozos que quepan
en la boca; sacúdela para que se seque y repártela
en dos platos. Lava bien las setas, retira los
pedúnculos y corta los sombreretes en trozos de 2-3
cm de tamaño. Lava el tomillo, sécalo con papel de
cocina, retira las hojitas y pícalas.

2   Lava la pera, córtala en cuatro trozos, retira el
corazón y pícala en trozos grandes. Realiza con la
batidora un puré con los trozos de pera, una
cucharadita de vinagre, la mostaza y el sirope.
Salpimienta el aliño y, según la dulzura de la pera,
añade algo más de vinagre. Incorpora después el
aceite de avellana.

3   Calienta el aceite de oliva en una sartén y
rehoga las setas 4-5 minutos, sin dejar de
removerlas, hasta que queden ligeramente
marrones y blandas. Salpimienta y añade la mitad
del tomillo. Distribuye el aliño encima de las
ensaladas. Coloca encima los champiñones y
espolvorea el resto del tomillo. Este plato se
acompaña muy bien con un pan de masa madre.

LECHUGA HOJA DE ROBLE
CON SETAS DE OSTRA

Desgranar la granada

Así se hace sin mancharse: haz un corte en la cáscara en sentido transversal (a lo largo del ecuador) con un cuchillo afilado y luego separa las dos mitades. Vuelve del revés las dos mitades, y presiona para que su interior salga hacia fuera. Ahora puedes soltar los granos con ayuda de una cuchara. Al mismo tiempo puedes retirar las pieles amargas. Envuelve los granos en un papel film y te aguantarán una semana en la nevera.

ENSALADA DE REMOLACHA
ROJA Y PIÑA

ENSALADA DE CALABAZA Y LIMÓN

Ensalada de hoja verde con ciruelas

SOFISTICADA POR SU VINAGRETA
DE MEMBRILLO Y CANELA

Para dos personas
200 g de ensalada de hoja variada (por ejemplo, *lollo rosso*, acelgas, canónigos y achicoria roja) | 250 g de ciruelas rojas | 20 g de nueces | 20 g de gelatina de membrillo | 2 cucharaditas de mostaza de Dijon | 3 cucharadas de zumo de naranja | 1 cucharadita de vinagre de Jerez | 1 cucharadita de aceite de nuez | Sal | Pimienta negra recién molida | ¼ cucharadita de canela en polvo | 1 pizca de pimienta de Cayena | 1 cucharadita de aceite de oliva | ½ cucharadita de azúcar | 30 g de queso montañés
Tiempo de preparación: 25 minutos.
Por ración: aprox. 280 kcal, 8 g de proteínas, 16 g de grasa, 21 g de hidratos de carbono.

1   Lava la verdura y córtala en trozos que quepan en la boca; sacúdela para que se seque. Lava las ciruelas, sécalas bien, pártelas por la mitad, retira el hueso y córtalas en gajos. Trocea las nueces.

2   Para preparar el aliño bate con unas varillas la gelatina, la mostaza, el zumo de naranja, el vinagre y el aceite de nueces hasta que presente una consistencia homogénea. Aderezar con la sal, la canela y las dos clases de pimienta.

3   Calienta el aceite de oliva en una sartén y rehoga allí las ciruelas durante 2-3 minutos. Echa por encima el azúcar y, sin dejar de remover, deja que se caramelicen un poco.

4   Sirve la ensalada en dos platos y rocíala con la vinagreta. Coloca las ciruelas y esparce las nueces por encima. Ralla y espolvorea con el queso.

Ensalada de calabaza y limón

GRATAMENTE SABROSA POR SU ALIÑO

Para dos personas
700 g de calabaza de la variedad *hokkaido* (500 g de pulpa) | 2 limones ecológicos | 1 guindilla verde | 4 ramas de perejil liso | Sal marina | Pimienta negra recién molida | 100 g de queso de oveja (feta, con 45% de materia grasa) | 150 g de yogur (1,5% de materia grasa) | 1 cucharada de pipas de calabaza (opcional)
Tiempo de preparación: 35 minutos.
Por ración: aprox. 260 kcal, 15 g de proteínas, 13 g de grasa, 16 g de hidratos de carbono.

1   Precalienta el horno a 220 ºC (a 200 ºC si es con circulación de aire). Lava la calabaza, pártela por la mitad, retira las pipas y corta la carne en tiras con un pelador de patatas. También se puede utilizar una mandolina. Forra la rejilla del horno con papel de aluminio y coloca separadas las tiras de calabaza, ásalas en el horno (a altura media) unos 8-10 minutos. Transcurrido la mitad del tiempo, debes darle la vuelta a las tiras de calabaza.

2   Lava los limones con agua caliente y sécalos bien. Pélalos de forma que también retires la piel blanca que cubre la pulpa. Corta la carne en rodajas muy delgadas y retira las posibles pipas que queden. Corta la guindilla por la mitad en sentido longitudinal, retira las semillas, lávala bien y pícala. Lava el perejil, sécalo con papel de cocina y separa las hojitas.

3   Mezcla las tiras de calabaza con las rodajas de limón, colócalas sobre los platos y salpimienta. Echa por encima el perejil. Para preparar el aliño desmigaja el queso, mézclalo con el yogur y aderézalos con la pimienta. Añade la guindilla. Echa el aliño sobre la ensalada de calabaza templada, o bien sírvelo en un cuenco aparte. Si lo deseas puedes trocear pipas de calabaza y esparcirlas por encima de la ensalada junto a la cáscara de limón.

Ensalada de lentejas Beluga con apio y tofu

SACIA MUCHO Y ES IDEAL PARA LLEVAR

Para dos personas
1 naranja ecológica pequeña |
2-3 ramas de perejil liso | 200 g
de tofu (natural) | 1 cucharadita
de miel de acacia |
¼ cucharadita de canela |
Sal | Pimienta verde recién
molida | 2 cucharaditas de
rábano fresco recién rallado
(o de bote) | 80 g de lentejas
Beluga | 1 chalota | 1 clavo |
1 hoja de laurel | 1 cucharada
de *aceto balsamico bianco* (o
vinagre balsámico de manzana)
| 150 g de apio | 1 manzana
(aprox. 150 g) | 1 cucharadita
de aceite de nuez
Tiempo de preparación: 50 min.
Marinado: 2 horas.
Por ración: aprox. 300 kcal,
19 g de proteínas, 8 g de grasa,
36 g de hidratos de carbono.

1 Lava la naranja con agua caliente, sécala, ralla la cáscara y exprímela hasta obtener 50 ml de zumo. Lava el perejil, sécalo con papel de cocina y pícalo. Corta el tofu en cuatro rodajas en sentido transversal y presiónalo entre papel de cocina; luego hazlo dados.

2 Para preparar el marinado mezcla el zumo de naranja con la miel, la canela, la sal y la pimienta. Añade al marinado el rábano, la mitad del perejil y el tofu. Tápalo y déjalo reposar en la nevera al menos dos horas, removiéndolo de vez en cuando.

3 Lava las lentejas y déjalas escurrir. Pela la chalota y añádele el clavo. Echa en una cazuela las lentejas, la chalota y la hoja de laurel, cúbrelas bien con agua fría y llévalas a ebullición. Tapa la cazuela y mantén el fuego bajo durante unos 25 minutos o el tiempo que señalen las instrucciones del paquete de lentejas. Luego, cuélalas, sálalas, mézclalas con el vinagre y déjalas enfriar.

4 Entretanto lava el apio, quítale las hebras y córtalo en dados pequeños. Pela la manzana, córtala en cuatro trozos, retira el corazón y hazla rodajas delgadas o dados.

5 Mezcla el apio con la manzana y las lentejas. Agrega el tofu marinado. Salpimienta, añade eventualmente algo más de vinagre y el aceite de nueces. Espolvorea con el resto del perejil.

ENSALADA FRUTAL DE REMOLACHA ROJA

Ensalada de hoja verde con higos

CON UN SOFISTICADO ALIÑO DE QUESO DE CABRA FRESCO

Para dos personas
200 g de ensalada de hoja variada (por ejemplo, canónigos, lechuga de hoja de roble y rúcula) | ¼ de ramillete de albahaca fresca | 20 g de brotes de alfalfa | 2-3 higos maduros (aprox. 200 g) | 1 guindilla verde | ½ cucharadita de granos de pimienta verde | 100 g de queso fresco de cabra | 150 g de yogur (1,5% de materia grasa) | 1 cucharadita de miel de acacia | Sal | 2-3 cucharaditas de *aceto balsamico bianco* (o bien vinagre balsámico de manzana)
Tiempo de preparación: 30 minutos.
Por ración: aprox. 270 kcal, 14 g de proteínas, 13 g de grasa, 22 g de hidratos de carbono.

1   Lava las ensaladas, córtalas en trozos que quepan en la boca y sacúdelos para que se sequen. Lava la albahaca, sécala con papel de cocina y separa las hojitas de las ramas. Lava los brotes de alfalfa y sécalos con papel de cocina. Lava con mucho cuidado los higos, sécalos y córtalos en gajos. Corta la guindilla por la mitad en sentido longitudinal, retira las pepitas, lávala y pícala. Machaca la pimienta en el mortero.

2   Para preparar el aliño mezcla el queso de cabra con el yogur y la miel hasta que quede una pasta homogénea. Aderézalo con la pimienta, la mitad de la guindilla y algo de sal. Agrega la cantidad de vinagre necesaria hasta que el sabor sea equilibrado, entre agridulce y picante.

3   Sirve la ensalada en dos platos, coloca encima los brotes y los higos, y rocíala con el aliño. Echa por encima la albahaca y el resto de la guindilla. Este plato se acompaña muy bien con una *baguette* recién horneada.

Ensalada frutal de remolacha roja

CORONADA POR UNA VINAGRETA DE NUECES

Para dos personas
150 g de remolacha roja | 3 cucharadas de vinagre balsámico de manzana (o bien *aceto balsamico bianco*) | 150 g de zanahorias | 1 manzana (aprox. 175 g) | 1 caqui saroni (aprox. 150 g) | Sal | 1 cucharadita de miel de acacia | 2 cucharaditas de mostaza de Dijon | 2 cucharadas de aceite de nueces (o aceite de avellanas tostadas) | Pimienta negra | ½ paquetito de berros
Tiempo de preparación: 20 minutos.
Marinado: 10 minutos.
Por ración: aprox. 225 kcal, 3 g de proteínas, 11 g de grasa, 28 g de hidratos de carbono.

1   Pela la remolacha (¡utiliza guantes de un solo uso!), rállala gruesa y mézclala con una cucharada de vinagre. Lava las zanahorias, pélalas y rállalas a un tamaño medio. Lava la manzana, sécala y rállala con la cáscara. Pela el saroni, pártelo por la mitad y retira las blandas fibras interiores. Corta la pulpa en dados de 1 cm de tamaño. Mézclalos con la remolacha, las zanahorias y la manzana.

2   Para preparar el aliño mezcla el resto del vinagre con la sal, la miel y la mostaza. Añade poco a poco el aceite. Aderézalo enérgicamente con pimienta. Mezcla el aliño con la ensalada y déjala reposar al menos 10 minutos.

3   Lava los berros, sécalos con un papel de cocina y espárcelos sobre la ensalada inmediatamente antes de servirla.

Sopa de calabaza con *gremolata*

DULCE, AFRUTADA Y SABROSA

Para dos personas
400 g de calabaza de la variedad *muskat* (aprox. 250 g de pulpa) | 1 cebolla pequeña | 150 g de patatas harinosas para cocer | 1 cucharadita de aceite de oliva | ½ cucharadita de azúcar glas | 150 ml de zumo de manzana | 150 ml de zumo de remolacha roja | 350 ml de caldo de verduras (ver la receta de la página 26) | 1 limón ecológico | 20 g de pipas de calabaza | ½ ramillete de perejil liso | ½ cucharadita de copos de chili | Sal | Pimienta negra recién molida | Pimienta de Cayena | 75 g de yogur (3,5 % de materia grasa)
Tiempo de preparación: 50 minutos.
Por ración: aprox. 250 kcal, 8 g de proteínas, 9 g de grasa, 35 g de hidratos de carbono.

1   Pela la calabaza, elimina las pipas y córtala en trozos de 3-4 cm de tamaño. Pela la cebolla y pícala en dados. Pela las patatas, lávalas y córtalas en trozos de 1-2 cm de tamaño. Calienta el aceite y rehoga allí la cebolla hasta que adquiera un aspecto cristalizado. Espolvorea por encima el azúcar glas y deja que se caramelice ligeramente. Añade la calabaza y rehógala dos minutos sin dejar de remover. Añade los dos zumos y el caldo, y lleva a ebullición. Agrega las patatas, tapa la cacerola y déjalo cocer 20 minutos hasta que queden blandas.

2   Lava el limón con agua caliente, sécalo, ralla la cáscara y exprime 1-2 cucharaditas de zumo. Pica las pipas de calabaza. Lava el perejil, sécalo con papel de cocina y trocéalo. Para preparar el *topping* mezcla las pipas de calabaza, el perejil, la cáscara de limón (excepto una cucharadita), los copos de chili y la sal.

3   Bate la sopa. Aderézala con la sal y las dos clases de pimienta, así como con el zumo y una cucharadita de la ralladura de limón. Sírvela en cuencos, agrega a cada uno de ellos una pella de yogur y decórala con el *topping*.

Sopa de zanahorias con verduras

CREMOSA Y CON VERDURA CRUJIENTE

Para dos personas
400 g de zanahorias | 15 g de jengibre fresco | 200-250 g de caldo de verduras (ver la receta de la página 26) | 10 g de almendras laminadas | ½ ramillete de perejil liso | 1 limón ecológico | 3-4 cucharadas de queso de pasta dura recién rallado (ver la página 10) | Sal | Pimienta negra recién molida | 2 cucharadas de nata de soja | 1 cucharadita de aceite vegetal
Tiempo de preparación: 45 minutos.
Por ración: aprox. 165 kcal, 7 g de proteínas, 10 g de grasa, 12 g de hidratos de carbono.

1   Lava las zanahorias, pélalas y trocea 300 g de ellas. Pela el jengibre y rállalo fino. Lleva a ebullición el caldo en una cazuela, añade las zanahorias y el jengibre, tápalo y deja que se cocine durante 20 minutos, hasta que las zanahorias se ablanden.

2   Tuesta las almendras en una sartén sin grasa hasta que adquieran un tono dorado, luego déjalas enfriar y pícalas. Lava el perejil, sécalo con papel de cocina y pícalo. Lava el limón con agua caliente y sécalo. Ralla una cucharadita de cáscara y exprime dos cucharaditas de zumo. Tritura con el robot las almendras, el perejil (aprox. 15 g), el queso, la mitad del zumo y toda la ralladura de limón hasta obtener un *pesto* más bien seco. Después adereza la mezcla, según tus propios gustos, con sal y pimienta.

3   Retira la sopa del fuego, agrega la nata de soja y bate con la batidora. Adereza con la sal, la pimienta y una cucharadita de zumo de limón. Corta el resto de las zanahorias en tiras muy delgadas y largas. Calienta el aceite en una sartén pequeña y rehoga esas tiras 1-2 minutos, sin dejar de remover, hasta que queden calientes y crujientes. Sirve la sopa, coloca en el centro las tiras de zanahoria y decórala con el pesto.

SOPA DE ZANAHORIAS CON VERDURAS

Crema de puerros con jengibre

PICANTE Y SABROSA POR SU *TOPPING* DE PIPAS DE CALABAZA

Para dos personas
400 g de puerros | 10 g de jengibre picante | 200 g de patatas harinosas para cocer | 1 y ½ cucharadas de aceite de oliva | 300 ml de caldo de verdura (ver la receta de la página 26) | 1 pera pequeña (aprox. 150 g) | 15 g de pipas de calabaza | 250 ml de leche (1,5% de materia grasa) | 1-2 cucharaditas de zumo de lima | Sal de hierbas | Pimienta verde recién molida | Nuez moscada recién rallada | Pimienta de Cayena
Tiempo de preparación: 1 hora.
Por ración: aprox. 280 kcal, 11 g de proteínas, 13 g de grasa, 28 g de hidratos de carbono.

1   Lava muy bien los puerros. Corta la parte blanca en anillos de 2 cm de ancho. De la zona verde utiliza solo la parte interior que sea más firme y fresca, y córtala por separado en anillos (un total de 250 g). Pela el jengibre y rállalo fino. Pela las patatas, lávalas y córtalas en trozos de 1-2 cm.

2   Calienta una cucharada de aceite en una cazuela y, removiendo constantemente, rehoga 4-5 minutos las partes blancas del puerro sin que lleguen a perder el color. Agrega el jengibre, rehógalo un instante, añade el caldo y llévalo a ebullición. Incorpora las patatas y déjalas cocer, tapadas, 20 minutos. Mientras tanto pela la pera, pártela en cuatro trozos y retira el corazón. Corta a su vez cada uno de los cuartos en rebanadas y luego, en sentido transversal, en rodajas pequeñas. Incorpora la mitad a la sopa y reserva el resto. Pica las pipas de calabaza.

3   Retira la sopa del fuego, añade la leche y prepara un puré fino con la batidora. Aderézalo con el zumo de limón, la sal, la dos clases de pimienta y la nuez moscada. Calienta la sopa pero no dejes que hierva.

4   Para preparar el *topping* calienta el resto de aceite en una sartén y rehoga los trozos de pera reservados durante 2-3 minutos sin dejar de remover. Añade los anillos verdes de puerro y rehoga 1-2 minutos, agrega las pipas de calabaza y sala ligeramente. Sirve la sopa en platos previamente precalentados y esparce por encima el *topping*.

Soufflé de mijo con zanahorias

MUY SUSTANCIOSO Y TAMBIÉN LIGERO

Para dos personas
70 g de mijo | 150 ml de caldo de verduras (ver la receta de la página 26) | 1 cebolla | 250 g de zanahorias | 100 g de chirivías | 1 cucharada de aceite de oliva | 1-2 cucharaditas de curry en polvo | Sal | Pimienta negra | 1 huevo (tamaño L) | 125 g de *quark* desnatado | 40 g de queso de pasta blanda *romadur* (20% de materia grasa en extracto seco)
Tiempo de preparación: 45 minutos.
Horneado: 30-35 minutos.
Por ración: aprox. 280 kcal, 11 g de proteínas, 13 g de grasa, 28 g de hidratos de carbono.

1   Echa el mijo en un colador, lávalo y déjalo escurrir. Lleva a ebullición el caldo y el mijo en una cacerola, luego tápala y deja que hierva cinco minutos. Apaga el fuego y deja que el mijo se hinche de 10 a 15 minutos más (o sigue las instrucciones del paquete).
2   Pela la cebolla y pícala. Pela las zanahorias y las chirivías y rállalas. Calienta media cucharada de aceite y rehoga en él la cebolla hasta que adquiera un aspecto cristalizado. Luego echa por encima el curry y remueve bien. Añade la verdura y, sin dejar de remover, rehoga 2-3 minutos. Saca la verdura y colócala en una fuente. Salpimienta.
3   Precalienta el horno a 200 °C. Separa la clara y la yema de huevo. Mezcla la yema con el *quark*, el mijo y la verdura, y salpimienta la mezcla. Bate la clara a punto de nieve y añádela también a la masa.
4   Pinta con el resto del aceite un molde apto para el horno (de 16 × 24 cm), llénalo con la masa y aplánala para que quede totalmente uniforme. Déjalo cocer en el horno (en la zona central; a 180 °C si es con circulación de aire) durante 25 minutos. Corta el queso en lonchas y distribúyelo sobre el molde, después métselo en el horno 6-7 minutos más hasta que el queso se funda. Sirve el *soufflé* muy caliente. A este plato le va muy bien una ensalada de tomate.

Gratinado de calabaza y membrillo

UNA NUEVA VARIANTE DE UN CLÁSICO

Para dos personas
200 g de patatas para cocer | 500 g de calabaza de la variedad *muskat* (o bien de la *hokkaido*, 300 g de pulpa) | 1 membrillo pequeño (aprox. 200 g) | 1 cucharadita de aceite de oliva | 2 huevos (tamaño M) | 1 cucharada de mostaza de Dijon | 50 g de queso fresco (16% de materia grasa) | 200 ml de leche (1,5% de materia grasa) | 1 pizca de canela | Nuez moscada recién rallada | Pimienta negra
recién molida | Pimienta de Cayena | Sal
Tiempo de preparación: 30 minutos.
Horneado: 40-45 minutos.
Por ración: aprox. 320 kcal, 17 g de proteínas, 13 g de grasa, 32 g de hidratos de carbono.

1   Pela las patatas, lávalas y córtalas en rodajas delgadas. Pela la calabaza (no es necesario si es de la variedad *hokkaido*), retira las hebras y las semillas, y córtala en rodajas delgadas o rállala. Frota bien el membrillo para quitarle toda la pelusa exterior. Luego lávalo, sécalo y rállalo en trozos grandes.

2   Precalienta el horno a 200 °C. Pinta con aceite un molde apto para horno (de 16 × 24 cm). Coloca la verdura por capas, primero una capa de calabaza, encima una de membrillo rallado y sobre esta una capa de patata. La última capa debe ser siempre de calabaza.

3   Mezcla los huevos con la mostaza, el queso fresco y la leche, y adereza con la canela, la nuez moscada, las dos clases de pimienta y la sal. Sirve esta salsa por encima de toda la verdura. Mete el gratinado en el horno (a altura media; a 180 °C si es con circulación de aire) durante 40-45 minutos. Si el gratinado comienza a oscurecerse demasiado pronto, tendrás que cubrirlo con papel de aluminio.

SOUFFLÉ DE MIJO CON ZANAHORIAS

Rollitos de col rizada rellenos de salteado

CON UNA REFINADA SALSA DE LIMÓN Y ALCAPARRAS

Para dos personas
1 col rizada pequeña | Sal |
1 cebolla | 100 g de zanahorias |
4 patatas pequeñas (aprox. 300
g) | 4 ramas de perejil liso | 3
cucharaditas de aceite de oliva |
30 g de queso de pasta dura
recién rallado (ver la página 10)
| 80 g de queso fresco (16% de
materia grasa) | Pimienta negra
recién molida | Nuez moscada
recién rallada | 1 cucharadita de
pimentón dulce | 400 ml de
fondo de verduras (de bote) |
1 limón ecológico |
2 cucharaditas de alcaparras
Tiempo de preparación: 1 hora
y 10 minutos.
Por ración: aprox. 300 kcal,
16 g de proteínas, 14 g de
grasa, 27 g de hidratos de
carbono.

1   Retira las hojas externas de la col. Según sea su tamaño, separa
4-6 hojas (aprox. 200 g), lávalas y corta el grueso nervio central. Pon
agua en una cacerola, llévala a ebullición y sálala. Escalda las hojas
durante cuatro minutos. Luego sácalas del agua, asústalas con agua
helada, extiéndelas sobre un paño de cocina y sécalas.

2   Para preparar el relleno pela la cebolla y pícala muy fina. Pela las
zanahorias y tres patatas, y rállalas a tamaño grande. Lava el perejil,
sécalo y pícalo. Calienta 1 y ½ cucharaditas de aceite y rehoga la
cebolla hasta que adquiera un aspecto cristalizado. Agrega la
ralladura de patata y zanahoria y, sin dejar de remover, rehógalo
4-5 minutos más. Coloca esta mezcla en una fuente y agrégale el
queso de pasta dura, la mitad del queso fresco y ¾ partes del perejil.
Adereza de forma abundante con sal, pimienta, nuez moscada y
pimentón.

3   Separa el relleno en 4-6 porciones. Coloca cada una de ellas en
una hoja de col, pliega hacia dentro las hojas de derecha a izquierda
y luego enróllalas por el extremo más grueso. Calienta el resto de
aceite en una rustidera, asa allí los rollitos y riégalos con 300 ml de
caldo. Lleva todo a ebullición y deja que cuezan, tapados, durante
20-25 minutos. Eventualmente habrá que añadir algo más de agua.

4   Entretanto pela el resto de las patatas, rállalas muy finas, llévalas
a ebullición con el resto del fondo de verduras y deja que hiervan,
tapadas, durante 10 minutos. Lava el limón con agua caliente, sécalo,
ralla una cucharadita de la cáscara y exprime 2-3 cucharaditas del
zumo. Echa las alcaparras en un colador, lávalas con abundante agua
y deja que escurran. Luego trocéalas.

5   Saca los rollitos de la sartén y mantenlos templados. Mezcla el
caldo de las patatas con el resto del queso fresco; es posible que sea
necesario añadir un poco más de líquido. Adereza con el zumo de
limón, la sal y la pimienta. Añade la cáscara de limón y las alcaparras.
Sirve los rollitos con la salsa y esparce por encima el resto del perejil.

Risotto de espelta y verduras

CON EL ACABADO DE UNA *GREMOLATA* DE AVELLANAS

Para dos personas
1 cebolla | 120 g de espelta | 1 cucharada de aceite de oliva | 400 ml de caldo de verduras (ver la receta de la página 26) | 100 g de raíz de apio | 100 g de zanahorias | 2 ramas de apio | 1 limón ecológico | 4 ramas de perejil liso | 10 g de avellanas | 1 diente de ajo pequeño | Sal | Pimienta negra recién molida | 1-2 cucharaditas de *ras el hanout* (o pimentón o canela en polvo) | 100 g de yogur (1,5% de materia grasa)
Tiempo de preparación: 1 hora y 5 minutos.
Por ración: aprox. 330 kcal, 11 g de proteínas, 11 g de grasa, 47 g de hidratos de carbono.

1   Pela la cebolla y pícala en dados. Lava la espelta y déjala escurrir. Calienta el aceite y rehoga allí la cebolla hasta que adquiera un aspecto cristalizado. Añade la espelta y, sin dejar de remover, rehógalo todo unos 3-4 minutos más. Agrega 300 ml de caldo, lleva todo a ebullición y déjalo hervir tapado 35-40 minutos. Si te parece necesario, añade un poco más de caldo.

2   Lava la raíz de apio y las zanahorias, y pélalas. Lava las ramas de apio y retira las hebras. Pica toda la verdura muy fina y resérvala. Lava el limón con agua caliente y sécalo. Ralla una cucharadita de la cáscara y exprime dos cucharaditas de zumo. Lava el perejil, sécalo con papel de cocina y trocéalo. Pica muy finas las avellanas. Pela el ajo y pícalo igualmente. Para preparar la *gremolata* mezcla el perejil con la ralladura de limón, las avellanas y el ajo, salpimienta y adereza con una cucharadita de zumo de limón.

3   Mezcla la verdura con la espelta, tápalas y rehógalas durante 5-7 minutos hasta que quede al dente. Revuelve el yogur con una cucharadita de zumo de limón, la sal y la pimienta. Adereza el *risotto* con sal, pimienta y *ras el hanout*. Sírvelo con el yogur y la *gremolata*.

Sartenada de setas con castañas

CON PURÉ DE APIO EXQUISITAMENTE ADEREZADO

Para dos personas
100 g de patatas harinosas para cocer | 400 g de raíz de apio | Sal | 150 g de cebollas | 150 g de setas de ostra | 250 g de champiñones | 100 g de castañas precocidas (envasadas al vacío) | 4-5 ramas de perejil liso | 1 cucharada de aceite de oliva | Pimienta de vainilla (ver la página 11) | 1-2 cucharaditas de zumo de limón | 3 cucharadas de nata de soja | ¼ cucharadita de canela en polvo | 1 cucharadita de aceite de nuez
Tiempo de preparación: 55 minutos.
Por ración: aprox. 270 kcal, 11 g de proteínas, 10 g de grasa, 34 g de hidratos de carbono.

1   Pela las patatas, lávalas, córtalas en dados y échalas en una cacerola. Lava el apio, pela y trocea en dados de 2 cm y añádelo a las patatas. Cubre todo con agua, sálalo, tapa la cazuela y llévalo a ebullición dejándolo hervir 20 minutos, hasta que todo quede blando. Pela las cebollas, pártelas por la mitad y luego en tiras delgadas. Lava los champiñones, sécalos bien y corta los pedúnculos de las setas de ostra. Corta las setas en trozos y los champiñones por la mitad, o bien déjalos enteros. Trocea las castañas. Lava el perejil, sécalo con papel de cocina y pícalo.

2   Calienta media cucharada de aceite de oliva y rehoga allí la cebolla. Agrega las castañas y, sin dejar de remover, rehógalas dos minutos más; retíralas a un lado de la sartén y calienta el resto del aceite de oliva, rehoga allí los dos tipos de setas unos 3-4 minutos, hasta que el líquido se haya evaporado por completo. Mézclalo todo y salpimienta. Adereza las setas con el zumo de limón y mantenlas caliente.

3   Escurre el apio y las patatas, deja que humeen y aplástalas. Agrega la nata de soja y adereza el puré con la sal, la pimienta, la canela y una cucharadita de zumo de limón. Sirve las setas y el puré, y rocía por encima el aceite de nuez. Espolvorea el perejil.

SARTENADA DE SETAS CON CASTAÑAS

Pelar las castañas

Lava bien las castañas frescas y métlas en agua durante una hora. Precalienta el horno a 200 °C. Realiza un corte en la parte superior de las castañas, de modo que también se perfore la piel interna marrón. Colócalas en una bandeja de horno y ásalas 15 minutos, dándoles la vuelta de vez en cuando. Cuando las puntas de la cáscara se doblen hacia fuera, saca las castañas del horno y cúbrelas durante un instante con un paño de cocina húmedo. Después se pelarán mucho mejor.

RISOTTO DE ESPELTA Y VERDURAS

Herraduras de calabaza asadas con cuscús de verduras

ESPECIADO ORIENTAL CON AZAFRÁN Y CANELA

Para dos personas
600 g de calabaza de la variedad *hokkaido* (aprox. 450 g de pulpa) | 1 limón ecológico | ¼ cucharadita de canela | Sal | Pimienta negra recién molida | 100 ml de caldo de setas o de verduras (de bote) | 1 pizca de hebras de azafrán | 70 g de cuscús instantáneo | 300 g de champiñones | 2 ramas de apio | 130 g de zanahorias | 1 cebolla roja | 4 ramas de perejil liso | 2 ramas de tomillo | 1 cucharada de aceite de oliva
Tiempo de preparación: 55 min.
Por ración: aprox. 280 kcal, 12 g de proteínas, 6 g de grasa, 43 g de hidratos de carbono.

1   Precalienta el horno a 220 °C. Lava la calabaza, frótala para secarla, pártela por la mitad y retira las hebras y las semillas. Corta en 4-6 rajas cada mitad de la calabaza, manteniendo la cáscara. Lava el limón y sécalo. Ralla la cáscara y exprime el zumo. Mezcla el zumo con media cucharadita de sal y otro tanto de pimienta recién molida.

2   Forra la rejilla del horno con papel de aluminio. Coloca encima los trozos de calabaza y píntalos con la mezcla de limón. Cuécelos en el horno (a altura media; a 200 °C si es con circulación de aire), hasta que queden blandos pero no pastosos.

3   Entretanto calienta el caldo. Machaca en un mortero el azafrán con una pizca de sal y mézclalo con el caldo. Echa el cuscús en una ensaladera, rocíalo con el caldo de azafrán y, tapado, deja que se hinche cinco minutos; luego sepáralo con un tenedor.

4   Lava las setas, frótalas para secarlas y córtalas en cuatro trozos. Lava el apio, retírale las hebras y córtalo en dados de 5 mm de tamaño. Pela las zanahorias y hazlas bastones de unos 3 mm de grosor. Pela la cebolla y córtala en dados pequeños. Lava el perejil y el tomillo y sécalos con papel de cocina; separa las hojas y pícalas.

5   Calienta el aceite en una sartén y rehoga en él la cebolla hasta que adquiera aspecto cristalizado. Agrega el apio y, sin dejar de remover, rehoga dos minutos más. Luego incorpora los bastones de zanahoria y, siempre removiendo, rehoga tres minutos más. Desplázalo todo a un lado de la sartén, agrega las setas y ásalas unos 3-4 minutos. Añade el cuscús y caliéntalo todo. Agrega el tomillo y la mitad de la cáscara de limón. Salpimienta el cuscús. Sirve las herraduras de calabaza con el cuscús y espolvorea por encima el perejil y el resto de la cáscara de limón.

Hamburguesas de lentejas verdes

MUY CRUJIENTES POR LA VERDURA

Para dos personas

75 g de lentejas verdes | 1 hoja de laurel | 1 cebolla pequeña | ½ ramillete de verdura para sopa (80 g de zanahorias, 40 g de apio, ½ puerro) | 1 y ½ cucharadas de aceite de oliva | Sal | 1 yema de huevo (tamaño M) | 30-40 gramos de copos integrales para disolver (por ejemplo, espelta o avena) | Pimienta negra | Pimienta de Cayena | Nuez moscada recién rallada

Tiempo de preparación: 1 hora.

Por ración: aprox. 255 kcal, 15 g de proteínas, 13 g de grasa, 20 g de hidratos de carbono.

1   Lava las lentejas, llévalas a ebullición en una cazuela con agua y la hoja de laurel, luego tápalas y cuece a fuego medio 25-30 minutos (o el tiempo que señalen las instrucciones del paquete). Entretanto pela la cebolla y pícala. Lava la verdura para sopa y córtala en dados muy pequeños. Calienta media cucharada de aceite en una sartén y rehoga allí la cebolla hasta que adquiera un aspecto cristalizado. Agrega la verdura y, removiendo constantemente, rehoga 5-6 minutos; luego échalo en un recipiente y deja que se enfríe.

2   Cuela las lentejas, sálalas y déjalas enfriar. Mezcla las lentejas con la verdura, la yema de huevo y los copos, y deja que se hinchen durante cinco minutos. Adereza la masa con la sal, las dos clases de pimienta y la nuez moscada. Prepara con esta masa de 4-6 hamburguesas. Calienta el resto del aceite en una sartén y asa allí cada hamburguesa durante tres minutos por cada lado, hasta que queden crujientes. Este plato se acompaña muy bien con una ensalada de col rizada y manzana (ver la receta siguiente).

consejo   Estas hamburguesas también se pueden comer en pan. Para ello unta la mitad de un panecillo de centeno con queso fresco y mostaza y extiende tomate concentrado en la otra mitad. Coloca una hoja de lechuga, una rodaja de tomate y la hamburguesa de lentejas, y cierra con la otra mitad del panecillo.

Ensalada de col rizada y manzana

AFRUTADA Y CON UN ADEREZO MAGNÍFICO

Para dos personas

200 g de col rizada | 1 chalota | 1 cucharadita de aceite de oliva | 100 ml de caldo de verduras (ver la receta de la página 26) | 50 ml de zumo de manzana | Sal | Pimienta negra recién molida | ¼ cucharadita de comino negro | 30 g de queso fresco (16% de materia grasa) | 1 manzana pequeña (aprox. 150 g, por ejemplo, de la variedad *boskop*) | 4 ramas de perejil liso

Tiempo de preparación: 45 minutos.

Por ración: aprox. 110 kcal, 5 g de proteínas, 4 g de grasa, 13 g de hidratos de carbono.

1   Lava la col y retira los tronchos centrales de las hojas. Corta las hojas en trozos de unos 2 cm de tamaño. Pela la chalota y pícala. Calienta el aceite en una cacerola y rehoga en él la chalota hasta que adquiera un aspecto cristalizado. Añade la col y, sin dejar de remover, rehoga otros 2-3 minutos. Luego agrega el caldo y el zumo de manzana. Aderéza la col con sal, pimienta y cominos, y deja que se cocine, tapada, 20 minutos. Si fuera necesario, añade un poco más de caldo.

2   Echa la col en un colador y quédate con el líquido de cocción. Mezcla este líquido con el queso fresco y añádaselo a la col. Lava la manzana, sécala, rállala en trozos grandes e incorpóralos a la col. Lava el perejil, sécalo con papel de cocina, pícalo y espolvoréalo por encima de la verdura.

consejo   Este plato se puede servir con unas patatas cocidas con sal y un huevo cocido, o bien con unas hamburguesas de lentejas (ver la receta anterior).

HAMBURGUESAS DE LENTEJAS VERDES

CURRY PICANTE DE LENTEJAS

Risotto de calabaza con tomillo

CON UN ADEREZO ESTUPENDO

Para dos personas
1 cebolla roja | 100 ml de bebida de soja | 300 ml de caldo de verduras (ver la receta de la página 26) | 3 cucharaditas de aceite de oliva | 120 g de arroz para *risotto* (por ejemplo, *Carnaroli*) | 2 cucharadas de Jerez seco | ½ calabaza pequeña de la variedad *hokkaido* (aprox. 200 g de pulpa) | 1 limón ecológico | 2-3 ramas de tomillo | Sal | Pimienta de vainilla (ver la página 11) | Nuez moscada recién rallada | Pimienta | ¼ cucharadita de copos de chili (opcional)
Tiempo de preparación: 35 minutos.
Por ración: aprox. 340 kcal, 27 g de proteínas, 9 g de grasa, 56 g de hidratos de carbono.

1   Pela la cebolla y pícala fina. Lleva a ebullición la bebida de soja y el caldo y mantenlos muy calientes. Calienta la mitad del aceite y rehoga allí la cebolla hasta que adquiera un aspecto cristalizado. Luego agrega el arroz y rehógalo sin dejar de remover hasta que también presente una apariencia cristalizada; añade el Jerez. Tan pronto como empiece a echar humo, agrega un cucharón de caldo y deja que cueza; remueve el arroz de vez en cuando. Cuando se haya evaporado el caldo, añade otro cucharón. Pasados 20 minutos el arroz ya estará listo.

2   Lava la calabaza, sécala, retira las fibras y las semillas. Córtala, con piel, en trozos de 1 cm de tamaño. Lava el limón con agua caliente y sécalo; ralla una cucharadita de la cáscara y exprime 2-3 cucharaditas de zumo. Lava el tomillo, sécalo con papel de cocina y pica las hojas.

3   Cinco minutos antes de que el *risotto* esté terminado, calienta el resto del aceite. Rehoga allí la calabaza durante tres minutos. Adereza con la sal, la pimienta, la nuez moscada, el pimentón, y el zumo y la ralladura de limón. Agrega la calabaza al *risotto* y sírvelo con el tomillo; si lo deseas, esparce por encima los copos de chili.

Curry picante de lentejas

CON UN *TOPPING* DE ESPECIAS Y CEBOLLA

Para dos personas
4 cebollas pequeñas (aprox. 200 g) | 200 g de zanahorias | 100 g de apio | 1-2 chilis o guindillas rojas | 10 g de jengibre fresco | 100 g de lentejas rojas | 1 y ½ cucharadas de aceite de oliva | 1 cucharadita de curry en polvo (opcional) | 300 ml de caldo de verduras (ver la receta de la página 26) | 30 g de crema dura de coco (en bloque) | ¼ cucharadita de semillas marrones de mostaza | ½ cucharadita de semillas de comino | 100 ml de leche (1,5% de materia grasa) | Sal y pimienta
Tiempo de preparación: 55 minutos.
Por ración: aprox. 390 kcal, 17 g de proteínas, 21 g de grasa, 34 g de hidratos de carbono.

1   Pela las cebollas. Corta una de ellas en dados pequeños y el resto en rodajas. Lava las zanahorias, pélalas y pártelas en bastones de 5 mm de ancho. Lava el apio, quítale las semillas y córtalo en discos. Lava las hojas de apio y pícalas. Corta por la mitad en sentido longitudinal las guindillas, retira las pepitas, lávalas y trocéalas en dados. Pela el jengibre y rállalo muy fino. Lava las lentejas.

2   Calienta media cucharada de aceite en un *wok* y rehoga la cebolla picada hasta que adquiera un aspecto cristalizado. Agrega el jengibre y las zanahorias y, sin dejar de remover, rehógalos tres minutos más. Añade la guindilla picada, el apio y las lentejas, y sigue rehogando durante un instante. Si lo deseas, puedes echar por encima el curry en polvo. Mézclalo todo bien y añade el caldo. Lleva a ebullición y deja que cueza, tapado, unos 10 minutos.

3   Corta en trozos pequeños la crema de coco. Calienta el resto del aceite y tuesta un poco las semillas de mostaza y comino removiendo constantemente. Añade el resto de la cebolla y, sin dejar de remover, ásala hasta que quede blanda. Agrega la leche y la crema de coco a las lentejas, deja que cueza 2-3 minutos y salpimienta. Sirve las lentejas con el *topping* y espolvorea por encima la parte verde del apio.

Tortilla de *quark* con setas

UN SABOR A SETAS AROMATIZADO CON HIERBAS

Para dos personas
250 g de setas (por ejemplo, *boletus*, setas de cardo, champiñones marrones) | 2 ramas de perejil liso | 2 ramas de mejorana | 100 g de chalotas | 2 bayas de enebro | 3 huevos (tamaño M) | Sal | 100 g de *quark* desnatado | Pimienta negra recién molida | 1 cucharada aceite de oliva
Tiempo de preparación: 45 min.
Por ración: aprox. 240 kcal, 21 g de proteínas, 14 g de grasa, 7 g de hidratos de carbono.

1 Lava las setas, frótalas para secarlas y retira las posibles partes blandas. Córtalas en trozos pequeños. Lava el perejil y la mejorana, sécalos con papel de cocina y pícalos por separado. Pela las chalotas y córtalas en cuartos. Machaca las bayas de enebro en el mortero.

2 Separa las claras de las yemas de los huevos. Bate las claras a punto de nieve con una pizca de sal. Mezcla en un recipiente las yemas con el *quark* hasta obtener una masa homogénea y salpimiéntala. Luego incorpora las claras a punto de nieve.

3 Calienta media cucharada de aceite en una sartén grande antiadherente, agrega la masa de la tortilla y extiéndela bien. Deja que se cuaje a fuego medio o bajo.

4 Calienta el resto del aceite en una segunda sartén, rehoga allí las chalotas hasta que adquieran aspecto cristalizado. Retíralas hacia un borde de la sartén y echa las setas. Ásalas sin dejar de removerlas hasta que se haya evaporado por completo el líquido que sueltan. Adereza las setas con la sal, la pimienta, el enebro y la mejorana, y mantenlas calientes.

5 La tortilla estará lista cuando la parte inferior ha adquirido una tonalidad marrón, casi cuajada del todo pero la parte superior todavía quede algo húmeda. Distribuye las setas sobre una de las mitades de la tortilla y, con la ayuda de una espumadera, dobla y coloca por encima la segunda mitad de la tortilla. Parte la tortilla por la mitad, sírvela en dos platos y espolvoréala por encima con el perejil.

GAJOS DE PATATA CON DOS TIPOS DE *DIP*

Gajos de patata con dos tipos de *dip*

UNO FRESCO-PICANTE
Y OTRO AFRUTADO-ESPECIADO

Para dos personas
400 g de patatas pequeñas para cocer |
1 manzana (aprox. 150 g, por ejemplo, de la
variedad *Elstar*) | 150 g de *quark* desnatado |
1 cucharada de rabanito fresco rallado (aprox.
20 g) | Sal | Pimienta verde recién molida |
¼ sobrecito de berros hortelanos | 150 g de
remolacha roja precocida (envasada al vacío) |
2 cucharadas de un buen *aceto balsamico* |
2 ramas de tomillo | 1 naranja ecológica
Tiempo de preparación: 55 minutos.
Por ración: aprox. 220 kcal, 14 g de proteínas,
1 g de grasa, 38 g de hidratos de carbono.

1   Precalienta el horno a 220 °C. Cepilla a
conciencia las patatas debajo del grifo, pártelas
primero en sentido longitudinal y luego en forma de
gajos. Sécalas con papel de cocina. Forra la rejilla
del horno con papel de aluminio. Coloca las patatas
con la superficie de corte hacia arriba y cuécelas en
el horno (a altura media; a 200 °C si es con
circulación de aire) durante 30 minutos hasta que
adquieran un tono dorado.

2   Lava la manzana, sécala y rállala con la piel.
Mezcla de inmediato la manzana con el *quark* y el
rábano rallado. Salpimienta el *quark*. Lava los
berros en un colador, sécalos con papel de cocina y
espárcelos sobre el *dip*.

3   Corta la remolacha roja en trozos grandes,
añádele el vinagre y prepara con ella un puré fino.
Salpimienta este puré. Lava el tomillo, sécalo con
papel de cocina, deja algunas hojas enteras y pica el
resto. Lava la naranja con agua caliente, sécala, ralla
una cucharadita de la cáscara y utiliza el resto para
otra receta. Incorpora al *dip* la cáscara de naranja y
el tomillo picado. Coloca las hojas enteras de
tomillo sobre el *dip*. Sala los gajos de patata y
sírvelos calientes junto a las dos clases de aliño.

Pasta boloñesa con chili y lentejas

UN CLÁSICO AL ESTILO VEGETARIANO

Para dos personas
1 cebolla | 120 g de zanahorias | 70 g de apio |
1 chili o guindilla roja | 1 cucharadita de aceite
de oliva | 40 g de lentejas rojas | 200 ml de caldo
de verdura (ver la receta de la página 26) | 1 lata
de tomates troceados (400 g de contenido) | 100
g de pasta (por ejemplo, *farfalle*, *fusilli*) | Sal |
3-4 ramas de perejil liso | ¼ cucharadita de
canela en polvo | Nuez moscada recién rallada |
Pimienta negra | 1 cucharada de nata de soja
Tiempo de preparación: 45 minutos.
Por ración: aprox. 330 kcal, 15 g de proteínas,
5 g de grasa, 56 g de hidratos de carbono.

1   Pela la cebolla y pícala. Lava las zanahorias,
pélalas y pártelas en dados pequeños. Lava el apio,
quítale las hebras y córtalo también en dados
pequeños. Corta la guindilla por la mitad en sentido
longitudinal, retira las semillas, lávala y pícala muy
fina. Calienta el aceite y rehoga la cebolla hasta que
tenga una tonalidad cristalizada. Agrega las
zanahorias, el apio y la guindilla y, sin dejar de
remover, rehógalos tres minutos más. Lava las
lentejas, incorpóralas y rehoga un instante; luego
añade el caldo y los tomates. Llévalo a ebullición,
tápalo y deja que cueza durante 15 minutos.

2   Cuece la pasta en agua salada 10 minutos hasta
que quede al dente. Lava el perejil, sécalo con papel
de cocina y pícalo. Adereza la boloñesa con la canela,
la nuez moscada, la sal y la pimienta. Agrega después
la nata de soja. Sirve la boloñesa de lentejas con la
pasta y espolvorea por encima el perejil.

variante Para preparar un *dal* (plato indio de legumbres sin piel) hay que utilizar el doble de lentejas y
algo más de caldo. Es necesario ampliar el tiempo de
cocción cinco minutos hasta que las lentejas casi se
hayan hecho puré. Adereza después con comino, cúrcuma, jengibre y guindilla. Sírvelo con yogur y cilantro.

Tentempiés de otoño

1 *Quark* con jengibre y zanahorias

GRANDIOSO CON PAN DE SEMILLAS

Para dos personas
Tiempo de preparación: 15 minutos.
Por ración: aprox. 160 kcal, 19 g de proteínas,
4 g de grasa, 11 g de hidratos de carbono.
150 g de zanahorias | 5-10 g de jengibre fresco |
20 g de brotes (por ejemplo, de alfalfa) |
10 g de nueces | 250 g de *quark* desnatado |
1 cucharadita de sirope de arce | Sal | Pimienta
negra | Pimienta de Cayena

1   Lava las zanahorias, sécalas y rállalas muy
finas. Pela el jengibre y rállalo también. Lava los
brotes y sacúdelos para que se sequen. Pica las
nueces.

2   Mezcla el *quark* con el sirope y sazónalo con
pimienta de ambas clases. Añade las zanahorias y
el jengibre al *quark*. Esparce por encima los brotes y
las nueces picadas.

2 *Dip* de tofu y cacao

EL MÁS IDEAL PARA SIBARITAS

Para dos personas
Tiempo de preparación: 10 minutos.
Por ración: aprox. 130 kcal, 10 g de proteínas,
7 g de grasa, 7 g de hidratos de carbono.
1 naranja ecológica | 200 g de tofu seda |
2-3 cucharaditas de cacao oscuro en polvo
(poco desgrasado) | 1 cucharada de sirope de
arce | 1 pizca de canela en polvo | Nuez
moscada recién molida

1   Lava la naranja con agua caliente, sécala,
obtén una cucharadita de ralladura de su cáscara y
exprime dos cucharadas de zumo.

2   Seca el tofu y utiliza un batidor de varillas para
preparar un *dip* cremoso batiéndolo con el zumo y
la ralladura de naranja, el cacao y el sirope.
Sazónalo con la canela y la nuez moscada, y sigue
batiéndolo. Le puedes añadir tiras de manzana y
pera. También queda muy bien, en forma de muesli,
con copos de avena.

3 Batido cremoso de peras

FRUTA OTOÑAL PARA BEBER

Para dos vasos
Tiempo de preparación: 15 minutos.
Por vaso: aprox. 110 kcal, 4 g de proteínas,
2 g de grasa, 17 g de hidratos de carbono.
2 peras maduras (300 g de pulpa, por ejemplo,
de la clase *Williams Christ*) | 80 g de remolacha
roja precocinada (empaquetada al vacío) |
100 ml de zumo de naranja | 50 g de queso
fresco (16% de materia grasa) |
1-2 cucharaditas de zumo de lima |
Canela en polvo | Una pizca de jengibre molido

1   Pela las peras, pártelas en cuatro trozos,
elimina el corazón con las semillas y córtalas en
dados grandes. Trocea también en dados la
remolacha. Mézclalo todo con el zumo de naranja,
échalo en un recipiente alto y utiliza la batidora para
preparar un puré fino.

2   Agrega el queso y vuelve a batirlo todo.
Sazónalo con el zumo de lima, la canela y el
jengibre. Reparte el batido en dos vasos y
espolvoréalo con algo más de canela.

INVIERNO

Ha llegado la época de acurrucarse. Estamos más cómodos dentro de casa y disfrutamos con el calor allí reinante. Después de un largo paseo invernal solo apetecen unos sabrosos potajes y sopas sustanciosas. Además, también llegamos a la época de las fiestas. Por eso muchas de las apetitosas recetas de invierno que se presentan en este libro son aptas para servir a tus invitados, además de ser muy sencillas de preparar.

Ensalada de endibias con pomelo

ALIÑADA CON MIEL Y JENGIBRE

Para dos personas
1 pomelo rosa (aprox. 250 g) | 1 naranja (aprox. 200 g) | 1 naranja sanguina (aprox. 200 g) | 10 g de jengibre fresco | 1 y ½ cucharaditas de miel de acacia | Sal marina | Pimienta verde recién molida | 400 g de endibias | 2 cucharadas de aceite de nuez
Tiempo de preparación: 35 minutos.
Por ración: aprox. 260 kcal, 4 g de proteínas, 11 g de grasa, 35 g de hidratos de carbono.

1   Pela el pomelo y la naranja hasta llegar a la pulpa. Saca los gajos de la carne del fruto del interior de las pieles de separación y recoge el zumo que se desprenda. Exprime el zumo que pueda quedar en las pieles hasta conseguir, aproximadamente 100 ml.

2   Pela el jengibre, córtalo en trozos pequeños y machácalo con un prensa ajos hasta obtener una cucharadita de zumo de jengibre.
Para preparar el aliño, deja hervir, sin tapar y a fuego medio, la miel con el zumo de los cítricos y el del jengibre hasta que su volumen se reduzca a la mitad. Déjalo enfriar hasta que esté templado y salpiméntalo.

3   Entretanto, limpia las endibias, pártelas por la mitad y elimina el troncho central. Córtalas en tiras, lávalas y déjalas escurrir. Mezcla las tiras con los gajos de pomelo y naranja, y colócalos en una fuente. Bate el aceite con el zumo de los cítricos y esparce el aliño sobre la ensalada.

Ensalada de achicoria roja con clementinas

LA ENSALADA INVERNAL PERFECTA

Para dos personas
1 granada pequeña | 4 clementinas (unos 350 g) | 30 g de dátiles secos | 80 g de achicoria roja | 50 g de hojas de acelga roja | Sal | 1 cucharadita de miel de acacia | 1 cucharadita de mostaza de Dijon | 2 cucharaditas de vinagre de Jerez | 1 cucharada de aceite de nuez | Pimienta negra recién molida
Tiempo de preparación: 30 minutos.
Por ración: aprox. 190 kcal, 2 g de proteínas, 6 g de grasa, 31 g de hidratos de carbono.

1   Corta por el centro la cáscara de la granada y sepárala en dos mitades. Desgrana una de ellas y reserva la otra mitad para una nueva ocasión. Pela tres clementinas, pártelas por la mitad y corta medias rodajas que no lleven pieles blancas. Exprime el zumo de la clementina restante. Parte los dátiles por la mitad, quítales el hueso y córtalos en trozos pequeños. Limpia la achicoria y córtala en trozos que quepan bien en la boca. Lava las acelgas y sécalas.

2   Echa un poco de sal en el zumo de las clementinas, agrega la miel, la mostaza y el vinagre, y remueve bien. Incorpora el aceite y sazona el aliño con la pimienta. Coloca en fuentes las hojas de ensalada y distribuye por encima las rodajas de clementina, los granos de granada y los dátiles. Salpica la ensalada con el aliño y sírvela de inmediato.

consejo   Como acompañamiento puede llevar unos discos de queso de cabra asados. Para prepararlos precalienta el horno a 200 °C. Forra una bandeja de horno con papel vegetal y coloca en ella cuatro discos de queso de cabra (40 g cada uno), espolvoréalos con una cucharadita de azúcar morena y déjalos asar durante cuatro minutos más.

ENSALADA DE ACHICORIA ROJA CON CLEMENTINAS

ENSALADA DE LOMBARDA Y CHILI CON MANGO

Ensalada de col lombarda y chili con mango

LO EXÓTICO EN COMBINACIÓN CON LO CASERO

Para dos personas
400 g de col lombarda | Sal | 1 cucharada de sirope de arce | 2 cucharadas de vinagre de arroz | 2 cucharadas de aceite de oliva | 1 cucharada de aceite de sésamo tostado | Pimienta negra recién molida | 1 mango pequeño (250 g de pulpa) | 1 chili rojo | 1 manojo de cilantro
Tiempo de preparación: 30 minutos.
Marinado: 1 hora.
Por ración: aprox. 260 kcal, 3 g de proteínas, 16 g de grasa, 22 g de hidratos de carbono.

1   Quita las hojas exteriores de la lombarda, elimina el troncho central y hazla tiras finas. Añade una cucharadita de sal y amásalas hasta que las tiras queden flexibles.

2   Para preparar el aliño mezcla el sirope y el vinagre junto con algo de sal. Agrega poco a poco las dos clases de aceite. Sazónalo con pimienta y rocíalo sobre la lombarda. Tapa la ensalada y déjala macerar al menos durante una hora.

3   Pela el mango, retira la pulpa del hueso y córtala en rodajas delgadas. Lava el chili, sécalo y córtalo, en sentido oblicuo, en anillos muy pequeños al mismo tiempo que retiras las pepitas. Lava el cilantro y sécalo con papel de cocina. Reserva algunas hojas enteras y pica el resto y los tallos tiernos.

4   Mezcla la lombarda con el chili y el cilantro picado, y sirve la ensalada con las rodajas de mango y el cilantro.

Ensalada de apio y naranjas

LA SORPRENDENTE VARIACIÓN DE UN CLÁSICO

Para dos personas
400 g de raíz de apio | 100 ml de caldo de verduras | 200 g de ramas de apio | 1 chili verde | 2 naranjas (unos 350 g) | 30 g de mermelada de naranja | 4 cucharaditas de vinagre balsámico de manzana | Sal marina | Pimienta negra recién molida | 1 cucharada de aceite de nuez | 20 g de nueces
Tiempo de preparación: 35 minutos.
Por ración: aprox. 250 kcal, 6 g de proteínas, 12 g de grasa, 27 g de hidratos de carbono.

1   Pela la raíz de apio, córtala primero en discos delgados y luego en tiras estrechas de unos 5 cm de longitud. Pon el caldo en una cazuela con tapa, añade las tiras de apio y déjalas cocer, tapadas, unos tres minutos. Coloca las tiras en un cuenco y déjalas enfriar.

2   Lava las ramas de apio, elimina las hebras y trocéalas en daditos. Corta el chili por la mitad en sentido longitudinal, retira las pepitas, lávalo y pícalo muy fino. Pela las naranjas, saca los gajos de la carne del fruto del interior de las pieles de separación y recoge el zumo que se desprenda. Exprime el zumo que pueda quedar en las pieles.

3   Para preparar el aliño, mezcla el vinagre con el zumo y la mermelada de naranja. Añade el aceite poco a poco. Mezcla todos los ingredientes con el aliño y sirve la ensalada. Pica las nueces no demasiado finas y espárcelas por encima.

Champiñones con canónigos

SACIA CON MUY POCAS CALORÍAS

Para dos personas
500 g de champiñones | 1 limón ecológico |
4 ramas de perejil liso | 125 g de canónigos |
2 cucharadas de aceite de oliva | Algunas
salpicaduras de zumo de limón | 2 cucharadas
de *aceto balsamico* | 1 cucharadita de sirope
de arce | 1 cucharadita de mostaza de Dijon |
1 cucharada de caldo de verduras | Una pizca
de canela en polvo
Tiempo de preparación: 40 minutos.
Por ración: aprox. 155 kcal, 7 g de proteínas,
11 g de grasa, 6 g de hidratos de carbono.

1   Lava bien los champiñones y córtalos en
rebanadas pequeñas. Lava el limón con agua
caliente, sécalo y ralla la cáscara. Lava el perejil,
sacúdelo para que se seque y pícalo. Lava los
canónigos y sacúdelos para que se sequen.

2   Calienta una cucharada de aceite en una sartén
y dora las setas, revolviéndolas de vez en cuando,
hasta que se haya evaporado el líquido que sueltan.
Quita la sartén del fuego, salpimienta los
champiñones y añade, además, un par de
salpicaduras de zumo de limón. Mezcla con la mitad
de la ralladura de limón.

3   Para preparar el aliño mezcla el vinagre con el
sirope, la mostaza y el caldo; sazónalo con la sal, la
pimienta y la canela. Vierte, poco a poco, el resto
del aceite. Coloca los canónigos en forma de anillo
en los bordes de una fuente grande, pon en el
centro los champiñones templados y espolvoréalos
con el perejil y el resto de la ralladura de limón.
Rocía la ensalada con el aliño y sírvela de
inmediato.

Ensalada de cuscús con verdura

IDEAL PARA LLEVAR

Para dos personas
1 naranja ecológica | 100 g de zanahorias y otro
tanto de chirivías, raíz de apio y cebollas rojas |
5 o 6 ramas de perejil liso | 15 g de almendras
laminadas | 2 cucharadas de aceite de oliva | Sal
| Pimienta negra recién molida | 125 ml de caldo
de verduras (ver la receta de la página 26) |
100 g de cuscús instantáneo (de grano medio) |
¼ cucharadita de canela en polvo y otro tanto
de pimienta de Cayena | ½ cucharadita de
pimentón dulce y otro tanto de comino molido
Tiempo de preparación: 55 minutos.
Por ración: aprox. 380 kcal, 10 g de proteínas,
15 g de grasa, 51 g de hidratos de carbono.

1   Lava la naranja con agua caliente y sécala. Saca
unas cuantas tiras de la cáscara y exprime unos
150 ml de zumo. Pela las verduras y pícalas a
tamaño grueso. Pela la cebolla, pártela por la mitad
y córtala en tiras. Lava el perejil, sacúdelo para que
se seque y pícalo. Tuesta las almendras sin nada de
grasa y déjalas enfriar.

2   Calienta el aceite, rehoga la cebolla hasta que
adquiera un aspecto cristalizado, agrega luego las
tiras de cáscara de naranja y déjalo rehogar todo
junto durante tres minutos. Añade las verduras y
dóralas sin dejar de remover; agrega el zumo de
naranja y deja cocinar la verdura durante 4-5
minutos hasta que el zumo se reduzca y la verdura
quede al dente. Salpimienta.

3   Calienta el caldo. Mezcla el cuscús con las
especias y un poco de sal, agrégale el caldo
caliente, tapa el recipiente y deja que se hinche
unos cinco minutos; luego déjalo enfriar. Separa el
cuscús con un tenedor, mézclalo con las verduras y
déjalo reposar 30 minutos. Agrega la mitad del
perejil y espolvorea por encima el resto junto con
las almendras.

ENSALADA DE CUSCÚS CON VERDURA

SOPA DE CEBOLLAS ROJAS

Sopa de castañas con espuma de canela

UNA SOPA PARA SENTIRSE BIEN

Para dos personas

1 puerro (aprox. 200 g entre la parte blanca y la verde clara) | 100 g de apio | 100 g de cebollas | 100 g de castañas precocinadas (empaquetadas al vacío o de bote) | 1 cucharada de aceite de oliva | 150 ml de vino blanco | 500 ml de caldo de verduras (ver la receta de la página 26) | ½ limón ecológico | 100 g de tofu seda | 100 ml de leche (1,5% de materia grasa) | 2 pizcas de canela en polvo

Tiempo de preparación: 45 minutos.

Por ración: aprox. 380 kcal, 10 g de proteínas, 9 g de grasa, 52 g de hidratos de carbono.

1   Lava bien el puerro, córtalo en cuatro trozos en sentido longitudinal y trocéalos en pedazos de 2 cm. Lava y seca el apio, quítale las hebras y córtalo en trozos pequeños. Pela la cebolla y hazla daditos. Parte las castañas por la mitad.

2   Calienta el aceite y rehoga en él la cebolla hasta que adquiera un aspecto cristalizado, añade el apio, el puerro y las castañas, y rehógalo unos 2-3 minutos removiendo constantemente; luego agrega el vino. Incorpora el caldo, llévalo a ebullición y, tapado, déjalo hervir 15 minutos. Lava el limón con agua caliente y sécalo. Ralla media cucharadita de cáscara y exprime una de zumo.

3   Agrega el tofu a la sopa y haz con ella un puré que, eventualmente, podría necesitar un poco más de caldo. Sazónalo con las dos clases de pimienta, la sal y el zumo y la cáscara de limón. Sirve la sopa. Mezcla la leche con una pizca de sal y otra de canela, caliéntala a unos 70 °C y espúmala con la batidora. Añade una pella de esa espuma a cada ración y espolvoréala con la canela restante.

Sopa de cebollas rojas

REFINADA Y DESLUMBRANTE

Para dos personas

250 g de cebollas rojas pequeñas | 1 cucharada de aceite de oliva | 250 g de remolacha roja precocinada (empaquetada al vacío) | 200 ml de jugo de remolacha roja | 150 ml de vino tinto | 1 cucharadita de azúcar morena | 250 ml de caldo de verduras (ver la receta de la página 26) | ¼ de paquetito de berros hortelanos | 1-2 cucharaditas de vinagre de Jerez | 1-2 cucharaditas de zumo de limón | 1 cucharadita de cacao negro | Sal | Pimienta de vainilla | Chili ancho (ver la página 11; también se puede sustituir por pimienta de Cayena) | 150 g de yogur

Tiempo de preparación: 40 minutos.

Por ración: aprox. 250 kcal, 7 g de proteínas, 7 g de grasa, 28 g de hidratos de carbono.

1   Pela la cebolla, pártela por la mitad y córtala en tiras delgadas. Calienta el aceite, rehoga en él la cebolla a fuego medio durante 8-10 minutos hasta que se ablande y adquiera un tono ligeramente tostado. Corta unos 70 g de remolacha en dados pequeños y parte el resto en trozos grandes; añade el vino y el jugo de remolacha, y utiliza la batidora para preparar un puré.

2   Espolvorea la cebolla con el azúcar y, sin dejar de remover, déjala caramelizar. Añade ahora la mezcla de vino y jugo de remolacha. Agrega el caldo y deja que se cocine. Luego incorpora los dados de remolacha y, manteniéndolo destapado, déjalo cocinar otros cinco minutos. Saca los berros del paquete, lávalos en un colador y sécalos con papel de cocina.

3   Sazona la sopa con el vinagre, una cucharadita de zumo de limón, el cacao, la sal, la pimienta y algo de chili. Mezcla el yogur con un poco de sal, chili y una cucharadita de zumo de limón y échalo sobre la sopa caliente. Espolvorea por encima los berros.

Sopa afrutada de apio

EL *TOPPING* DE MANZANA Y NUECES
LA HACE EXQUISITA

Para dos personas

250 ml de caldo de verduras (ver la receta de la página 26) | 200 ml de zumo de manzanas | 250 g de raíz de apio | 200 g de patatas harinosas para cocer | 1 chalota | ½ manzana de cáscara roja | 1 cucharada de aceite de oliva | 20 g de nueces | Sal | Pimienta verde recién molida | 150 ml de leche (1,5% de materia grasa) | Nuez moscada recién molida | Pimienta de Cayena

Tiempo de preparación: 40 minutos.
Por ración: aprox. 290 kcal, 7 g de proteínas, 13 g de grasa, 34 g de hidratos de carbono.

1   Mezcla el caldo y el zumo de manzana. Pela el apio, córtalo en trozos de 3 cm de tamaño y échalo al caldo. Pela las patatas, lávalas, trocéalas en dados de 2 cm y mézclalas con el apio. Deja cocer todo, tapado, durante 20 minutos hasta que se ablande.

2   Entretanto, para preparar el *topping* pela la chalota, lava y seca la manzana, pélala y, al igual que la chalota, trocéala en dados muy pequeños. Calienta el aceite, rehoga en él la chalota sin dejar de removerla hasta que adquiera un aspecto cristalizado. Añade los dados de manzana y remuévelos mientras se asan ligeramente. Pica las nueces, agrégalas también y remueve todo mientras se cocina. Salpimienta.

3   Con las patatas, el apio y el caldo prepara con la batidora un puré fino; añade la leche. Calienta la sopa, pero sin que llegue a hervir. Si no te gusta su consistencia, agrégale algo más de caldo. Sazónalo intensamente con sal, las dos clases de pimienta y la nuez moscada. Sirve la sopa con el *topping*.

Sopa de chucrut

RÁPIDA Y MUY SABROSA

Para dos personas

1 cebolla | 1 diente de ajo | ¼ cucharadita de alcaravea (o cominos) | 250 g de chucrut | 1 cucharada de aceite de oliva | 1 cucharada de concentrado de tomate | 1 cucharadita de pimentón ahumado (ver la página 11, o bien pimentón dulce) | 200 ml de leche (1,5% de materia grasa) | 400 ml de caldo de verduras (ver la receta de la página 26) | 1 hoja de laurel | 4 tallos de cebollinos | Sal | Pimienta negra recién molida | Pimienta de Cayena | 150 g de *crème légère*

Tiempo de preparación: 30 minutos.
Por ración: aprox. 260 kcal, 9 g de proteínas, 19 g de grasa, 13 g de hidratos de carbono.

1   Pela la cebolla y el ajo y trocéalos en dados pequeños. Machaca en un mortero la alcaravea (o los cominos). Corta el chucrut en pedazos muy pequeños. Calienta el aceite y rehoga en él la cebolla hasta que adquiera un aspecto cristalizado. Añade el ajo y rehógalo unos 30 segundos. Agrega el concentrado de tomate y el pimentón, remueve constantemente y añade el vinagre y el caldo. Incorpora el chucrut y el laurel, y déjalos cocer, tapados, durante 15 minutos. Remueve de vez en cuando. Lava el cebollino, sécalo con papel de cocina y córtalo en anillos delgados.

2   Retira el laurel. Sazona la sopa con la sal y las dos clases de pimienta. Mezcla la *crème légère* con algo de sal, pimentón y pimienta de Cayena. Sirve la sopa añadiendo a cada plato una pella de *crème légère* y los anillos de cebollino.

SOPA AFRUTADA DE APIO

RAGÚ DE TOFU CON CHAMPIÑONES

Ragú de tofu con champiñones

CON UNA CREMOSA SALSA DE VINO BLANCO

Para dos personas
200 g de tofu (natural) | 1 limón ecológico | Sal |
Pimienta verde recién molida | Pimienta de Cayena |
400 g de champiñones | 200 g de chalotas |
2-3 ramas de perejil liso | 1 y ½ cucharadas de
aceite de oliva | 100 ml de vino blanco seco y otro
tanto de caldo de verduras y de nata de soja
Tiempo de preparación: 50 minutos.
Marinado: 2 horas.
Por ración: aprox. 320 kcal, 16 g de proteínas,
20 g de grasa, 11 g de hidratos de carbono.

1   Corta el tofu en rodajas en sentido transversal,
colócalas entre papel de cocina, aplástalas un poco
y trocéalas en dados. Lava el limón con agua
caliente y sécalo. Consigue una cucharadita de
ralladura de su cáscara y exprime dos de zumo.
Adereza el tofu con la cáscara y el zumo de limón,
salpimiéntalo y déjalo tapado unas dos horas en un
lugar frío. Lava y limpia los champiñones; según el
tamaño pártelos por la mitad o déjalos enteros. Pela
las chalotas y córtalas en tiras. Lava el perejil, sécalo
con papel de cocina y pícalo.
2   Calienta media cucharada de aceite de oliva en
un *wok*. Sin dejar de removerlo, dora el tofu durante
3-4 minutos hasta que adquiera un tono dorado.
Sácalo del *wok* y resérvalo. Calienta el resto del
aceite y rehoga las chalotas a fuego bajo durante
cinco minutos sin dejar de remover hasta que
adquieran un aspecto cristalizado; luego retíralas
hacia un borde.
3   Sube la temperatura del fuego, añade los
champiñones y ásalos cuatro minutos hasta que el
líquido se haya evaporado por completo.
Salpimienta y añade el vino y el caldo. Lleva todo a
ebullición y deja que se cocine un instante. Añade
después la nata de soja. Calienta el tofu dentro de la
salsa. Sazona el ragú con la sal, la pimienta y la
pimienta de Cayena. Espolvorea por encima el
perejil. Un buen acompañamiento para este plato es
un poco de arroz o pan de *baguette*.

Risotto de remolacha roja con nueces

EXQUISITO INCLUSO PARA OBSEQUIAR
A TUS INVITADOS

Para dos personas
250 g de remolacha roja | 1 chalota | 10 g de
jengibre fresco | Unos 500 ml de caldo de
verduras (ver la receta de la página 26) |
1 cucharada de aceite de oliva | 120 g de arroz
para *risotto* (*Arborio* o *Carnaroli*) | 75 ml de vino
blanco seco (por ejemplo, Riesling) | 2-3 ramas
de perejil liso | 15 g de nueces | 2-3
cucharaditas de *aceto balsamico* envejecido |
Sal de vainilla (ver la página 11; se puede
sustituir por sal marina) | Pimienta negra |
1-2 cucharaditas de crema fresca
Tiempo de preparación: 55 minutos.
Por ración: aprox. 390 kcal, 7 g de proteínas,
10 g de grasa, 60 g de hidratos de carbono.

1   Pela las remolachas (¡utiliza guantes de un solo
uso!), córtalas primero en rebanadas delgadas y
luego trocea éstas en dados y tiras. Pela la chalota y
hazla dados. Pela y ralla el jengibre. Calienta el
caldo en una cazuela y mantenlo caliente.

2   Calienta el aceite y rehoga en él la chalota
hasta que adquiera un aspecto cristalizado. Agrega
la remolacha y rehógalas juntas 2-3 minutos más.
Añade el arroz y rehoga todo unos dos minutos.
Incorpora el vino y deja que se evapore. Ve
añadiendo el caldo a cucharones hasta que se haya
absorbido por completo. Deja cocer el *risotto* unos
20 minutos removiéndolo con frecuencia.

3   Lava el perejil, sécalo con papel de cocina y
pícalo, pero no demasiado fino. Tuesta las nueces
en una sartén sin grasa, déjalas enfriar y pícalas.
Deja reposar el *risotto* unos 2-3 minutos, sazónalo
con la sal, la pimienta y el vinagre, y sírvelo
colocando encima una pella de crema fresca, las
nueces picadas y el perejil.

Bulgur de azafrán con zanahorias

AL GUSTO ORIENTAL

Para dos personas
1 pizca de hebras de azafrán | 180 ml de caldo de verduras (ver la receta de la página 26) | 80 g de *bulgur* | 80 g de cebollas rojas | 200 g de zanahorias | 30 g de albaricoques secos | 125 g de garbanzos (de bote) | 1 cucharada de aceite de oliva | ½-1 cucharadita de *harissa* | ¼ cucharadita de canela en polvo | ¼ cucharadita de comino molido | Pimienta negra recién molida | 1-2 cucharaditas de zumo de limón
Tiempo de preparación: 40 minutos.
Por ración: aprox. 300 kcal, 10 g de proteínas, 7 g de grasa, 47 g de hidratos de carbono.

1 Machaca el azafrán en un mortero y mézclalo con una cucharadita de agua. Lleva el caldo de verduras a ebullición. Lava a fondo el *bulgur* en un colador y échalo en el caldo junto al azafrán. Tápalo y déjalo cocer a fuego lento unos 10 minutos.

2 Pela las cebollas y pícalas. Lava las zanahorias, pélalas y córtalas en discos delgados. Trocea los albaricoques en daditos. Lava el perejil, sécalo con papel de cocina y pícalo. Lava y escurre los garbanzos.

3 Calienta el aceite de oliva en un *wok*. Rehoga las cebollas, sin dejar de remover, hasta que adquieran un aspecto cristalizado. Incorpora las zanahorias y cocínalo todo 2-3 minutos sin dejar de remover. Mezcla el *bulgur* con los garbanzos y caliéntalo. Adereza con la *harissa*, la canela, los cominos, la sal y la pimienta. Añade el zumo de limón. Sírvelo espolvoreado con el perejil.

Batatas con *dip* de lima

CON UN CRUJIENTE *TOPPING* DE ANACARDOS

Para dos personas
400 g de batatas | 1 cucharada de aceite de oliva | Sal | Pimienta negra recién molida | 5-6 ramas de perejil liso | 20 g de anacardos | 1 lima ecológica | 1 chili verde pequeño | 5 g de jengibre fresco | 150 g de yogur (1,5% de materia grasa)
Tiempo de preparación: 40 minutos.
Por ración: aprox. 320 kcal, 7 g de proteínas, 11 g de grasa, 46 g de hidratos de carbono.

1 Precalienta el horno a 180 °C. Pela las batatas y córtalas en sentido trasversal en rodajas de 2 cm de grueso. Forra la rejilla del horno con papel de aluminio. Coloca encima las batatas, píntalas con aceite y salpiméntalas. Ásalas en el horno (a altura media; a 160 °C si es con circulación de aire) durante 20-25 minutos.

2 Entretanto lava el perejil, sécalo con papel de cocina y pícalo. Tuesta los anacardos en una sartén sin grasa hasta que adquieran un tono dorado, déjalos enfriar y pícalos. Lava la lima con agua caliente y sécala. Ralla la cáscara y exprime el zumo. Corta el chili por la mitad en sentido longitudinal, retira las pepitas, lávalo y pícalo fino. Pela el jengibre y rállalo.

3 Para preparar el *dip* mezcla el yogur con algo de sal, el jengibre, una cucharadita de ralladura y el resto del zumo de la lima, los anacardos, el chili y una pizca de sal. Sirve las rodajas de batata acompañadas del *dip* y coloca encima el *topping*.

BATATAS CON *DIP* DE LIMA

Azafrán

De este condimento se necesita una cantidad menor cuando no se utilizan las hebras completas. Machaca en un mortero el azafrán con algo de sal, o azúcar, que sirva de elemento abrasivo. Mezcla el azafrán con 2-3 cucharadas de líquido de cocción, agua, mostaza o caldo y déjalo reposar unos 15 minutos. Agrega este líquido a la comida cuando haya transcurrido algo más de la mitad del tiempo de cocción. De esa forma se distribuirá uniformemente por todo el alimento y aportará su aroma de forma homogénea.

BULGUR DE AZAFRÁN CON ZANAHORIAS

Verdura al *wok* con tofu
en salsa de naranjas y canela
ASIÁTICA, PERO CON INGREDIENTES REGIONALES

Para dos personas
1 naranja ecológica (150 g) |
1 cucharadita de *sambal oelek* |
1 cucharadita de miel | Sal |
¼-½ cucharadita de canela en
polvo | 200 g de tofu (natural) |
100 g de cebollas rojas | 600 g
de una mezcla de hortalizas
(por ejemplo, chirivías,
zanahorias, remolacha roja,
apio y batatas) | 1 y ½
cucharadas de aceite vegetal |
100 ml de caldo de verduras
(ver la receta de la página 26) |
3 tallos de cilantro | Pimienta
negra recién molida
Tiempo de preparación: 1 hora
y 10 minutos.
Marinado: 2 horas.
Por ración: aprox. 335 kcal, 13
g de proteínas, 13 g de grasa,
40 g de hidratos de carbono.

1   Lava la naranja con agua caliente y sécala. Ralla la cáscara y
exprime el zumo (100-150 ml). Mezcla el zumo con la mitad de la
ralladura de cáscara, el *sambal oelek*, la miel, la sal y ¼ cucharadita
de canela en polvo. Presiona el tofu entre dos papeles de cocina y
córtalo en dados de 2 cm de tamaño. Mézclalo con el marinado,
tápalo y deja reposar en la nevera al menos dos horas.

2   Pela la cebolla, pártela por la mitad y córtala en tiras. Lava toda
la verdura, pélala y córtala en tiras, barras o dados del mismo
tamaño. Saca el tofu del marinado y déjalo escurrir.
Calienta media cucharada de aceite en un *wok* antiadherente. Dora el
tofu a fuego fuerte 3-4 minutos hasta que adquiera un tono algo tostado. Saca el tofu y resérvalo.

3   Calienta el aceite restante y rehoga la cebolla 2-3 minutos. Añade
la remolacha y rehoga todo junto unos dos minutos. Incorpora las
chirivías y las zanahorias y rehógalas, sin dejar de remover, dos
minutos más. Añade el apio y las batatas y rehoga un instante más.
Échale a la verdura el marinado del tofu, incorpora el caldo y déjalo
cocer 20 minutos, a fuego medio y removiendo ocasionalmente,
hasta que queden al dente.

4   Entretanto lava el cilantro, sécalo con papel de cocina y pícalo
grueso. Añade el tofu a la verdura y caliéntalo. Salpimienta y adereza
con el *sambal oelek* y la canela. Sírvelo espolvoreado con la ralladura
de naranja y el cilantro.

variante Puedes sustituir el tofu por 100 g de queso de oveja
(feta). Desmigájalo o rállalo y espárcelo sobre la verdura.

Verdura en consomé con ciruelas pasas

ESPECIADA Y DULCE CON UN TOQUE PICANTE

Para dos personas
350 g de zanahorias | 250 g de patatas para cocer | 200 g de puerros | 10-15 g de jengibre fresco | 80 g de cebollas | 60 g de ciruelas pasas | 1 cucharada de aceite de oliva | 500 ml de caldo de verduras (ver la receta de la página 26) | 1 hoja de laurel | 3-4 ramas de perejil liso | 5-6 granos de pimienta | Sal | Pimienta negra recién molida | 100 g de tallarines de trigo duro | 2-3 cucharaditas de *aceto balsamico bianco* | 150 g de yogur (3,5% de materia grasa)
Tiempo de preparación: 1 hora.
Por ración: aprox. 300 kcal, 9 g de proteínas, 9 g de grasa, 44 g de hidratos de carbono.

1   Lava las zanahorias, pélalas y pártelas en cuatro trozos, en sentido longitudinal, luego córtalas en pedazos de 4,5 cm de largo. Pela las patatas y trocéalas a un tamaño similar. Lava los puerros, corta la parte blanca en discos de 2 cm de ancho. Pela y ralla el jengibre. Pela las cebollas y trocéalas en dados. Parte las ciruelas en cuatro pedazos.

2   Calienta el aceite en un *wok* y rehoga en él las cebollas hasta que adquieran un aspecto cristalizado. Incorpora las zanahorias y, removiendo constantemente, rehógalas dos minutos; luego añade el caldo. Agrega el jengibre y el laurel, y déjalo cocer todo, tapado, unos cinco minutos. Añade las patatas y deja que se cocinen otros siete minutos. Incorpora las ciruelas y el puerro, y cocínalos, tapados, 6-8 minutos más. Lava el perejil, sécalo con papel de cocina y pícalo. Machaca en un mortero los granos de pimienta.

3   Deja hervir la verdura, sin tapar, 2-3 minutos hasta que el caldo quede ligeramente cremoso. Condiméntalo con sal, las dos clases de pimienta y el vinagre. Espolvoréalo con perejil. Mezcla el yogur con una pizca de sal y sírvelo a modo de acompañamiento.

Ensalada de coles de Bruselas y patatas

CON *PANCH MORON* Y UN *DIP* PICANTE

Para dos personas
350 g de patatas | Sal | 500 g de coles de Bruselas | ½ manojo de cilantro | ½-1 chili rojo o guindilla | 1 lima ecológica | 150 g de yogur (1,5% de materia grasa) | 1 cucharada de aceite de oliva | 1 cucharadita de *panch phoron* (ver la página 11) | Pimienta negra
Tiempo de preparación: 1 hora y 5 minutos.
Por ración: aprox. 280 kcal, 16 g de proteínas, 7 g de grasa, 35 g de hidratos de carbono.

1   Cepilla las patatas bajo agua corriente y déjalas cocer unos 20 minutos en agua salada. Lava las coles de Bruselas y, según sea su tamaño, pártelas por la mitad o déjalas enteras y ponlas en un cestillo para vapor. Pon a hervir algo de agua en una cazuela. Deja que las coles se cocinen al vapor unos ocho minutos.

2   Pela las cebollas, pártelas por la mitad y córtalas en tiras. Escurre las patatas, espera a que dejen de humear, pélalas y córtalas en trozos grandes. Lava el cilantro, sacúdelo para que se seque y pícalo. Lava el chili, sécalo, córtalo por la mitad en sentido longitudinal, retira las pepitas y pícalo. Lava la lima con agua caliente, sécala, ralla una cucharadita de la cáscara y exprime dos de zumo. Mezcla el yogur con la sal, el zumo y la ralladura de lima, el chili y el cilantro.

3   Calienta aceite en un *wok*. Rehoga las cebollas, sin dejar de removerlas, unos 4-5 minutos; luego apártalas hacia el borde del *wok*. Asa ligeramente el *panch phoron* hasta que empiece a exhalar su aroma. Después mézclalo con las cebollas y apártalas de nuevo al borde. Añade las patatas al *wok* y ásalas a fuego de medio a alto, hasta que adquieran un aspecto dorado. Incorpora las coles de Bruselas y caliéntalas un instante. Mezcla bien todas las verduras y salpimiéntalas. Sirve la ensalada acompañada del *dip*.

VERDURA EN CONSOMÉ CON CIRUELAS PASAS

Tallarines de arroz con col china, zanahorias y setas

DE INSPIRACIÓN ASIÁTICA

Para dos personas
10 g de setas *mu-err* (orejas de Judas) | 1 puerro delgado (solo la parte blanca, aprox. 80 g) | 100 g de zanahorias | 80 g de tallarines de arroz | 30 g de jengibre fresco | 1 diente de ajo | 1 chili rojo | 200 g de col china | 1 manojo pequeño de cilantro | 1 cucharada de aceite de cacahuete | 300-400 ml de caldo de verduras (ver la receta de la página 26) | 2 cucharadas de Jerez seco | 30 g de crema de coco en bloque | Sal | Pimienta negra recién molida | 1-2 cucharaditas de salsa de soja | *Sambal oelek* (opcional)
Tiempo de preparación: 55 min.
Por ración: aprox. 390 kcal, 27 g de proteínas, 17 g de grasa, 47 g de hidratos de carbono.

1   Pon las setas en un cuenco, riégalas con agua hirviendo y déjalas reposar, tapadas, unos 30 minutos. Entretanto lava muy bien el puerro, córtalo primero en trozos de 5 cm de longitud y trocéalos a lo largo en tiras muy estrechas. Lava las zanahorias, pélalas y córtalas en juliana.

2   Pon en remojo los tallarines de acuerdo con las instrucciones que vengan en el paquete y remuévelos constantemente para que no se peguen. Luego cuécelos, siguiendo siempre las indicaciones del envase, sácalos del agua y asústalos con agua fría.

3   Pela el jengibre y rállalo grueso. Pela el ajo y pícalo. Corta el chili por la mitad en sentido longitudinal, quita las pepitas, lávalo y trocéalo en dados pequeños. Lava la col y córtala en tiras delgadas. Lava el cilantro, sécalo con papel de cocina y pícalo, incluidos los tallos tiernos. Escurre las setas, sécalas con papel de cocina y córtalas en trozos pequeños.

4   Calienta el aceite de oliva en un *wok*. Rehoga un instante el jengibre, el ajo y el chili. Agrega el puerro y, sin dejar de remover, rehógalo un minuto más, añade las zanahorias y rehógalas otro minuto. Incorpora la col y déjala un minuto más. Echa por encima el caldo y el Jerez.

5   Llévalo a ebullición, agrega la crema de coco troceada y deja que se funda. Mezcla las setas y los tallarines con la verdura y caliéntalo todo. Adereza con la sal, la pimienta, la soja y, si lo deseas, el *sambal oelek*. Espolvorea con el cilantro y sírvelo.

Repollo con pasta al huevo y queso

CLÁSICO, SUSTANCIOSO Y, SIN EMBARGO, LIGERO

Para dos personas
400 g de repollo | 100 g de cebollas | ½ cucharadita de cominos | 1 cucharada de mantequilla derretida | 150 ml de caldo de verduras (ver la receta de la página 26) | 200 g de pasta al huevo (sección de alimentos refrigerados) | 4 ramas de perejil liso | Sal | Pimienta negra recién molida | Nuez moscada recién molida | Copos de chili | 1-2 cucharaditas de pimentón ahumado (ver la página 11, o bien pimentón dulce) | 30 g de queso montañés recién rallado (puede ser gruyer)
Tiempo de preparación: 40 minutos.
Por ración: aprox. 320 kcal, 14 g de proteínas, 13 g de grasa, 37 g de hidratos de carbono.

1   Lava el repollo, elimina el troncho central y córtalo en tiras muy finas. Pela la cebolla y trocéala en dados pequeños. Machaca los cominos en el mortero.

2   Calienta media cucharada de mantequilla en una sartén y rehoga la cebolla hasta que adquiera una tonalidad cristalizada. Añade los cominos y el repollo y déjalos cocer unos 12-15 minutos sin que este último llegue a coger un tono castaño. Poco a poco añade el caldo.

3   Calienta en otra sartén el resto de la mantequilla y asa la pasta unos 2-3 minutos hasta que adquiera un aspecto dorado. Lava el perejil, sécalo con papel de cocina y pícalo.

4   Mezcla el repollo con la pasta y aderézalo con la sal, la pimienta, el pimentón, la nuez moscada y los copos de chili. Echa por encima la mezcla con el queso y deja que éste se funda. Sírvelo espolvoreado con perejil.

Verdura al horno con salsa de naranja

CON VERDURA INVERNAL RECIÉN COMPRADA EN EL MERCADO

Para dos personas
900 g de una mezcla de hortalizas (por ejemplo, cebollas rojas, batata o calabaza, patatas para cocer -tres pequeñas-, chirivías, zanahorias y apio) | 1 naranja ecológica | 1 cucharadita de mostaza de Dijon | 3 cucharaditas de mostaza en grano | Sal | Pimienta negra recién molida | 1 y ½ cucharadas de aceite de oliva | 4 ramas de perejil liso | 150 g de yogur (1,5% de materia grasa)
Tiempo de preparación: 45 minutos.
Cocción: 50 minutos.
Por ración: aprox. 260 kcal, 8 g de proteínas, 10 g de grasa, 32 g de hidratos de carbono.

1   Precalienta el horno a 200 °C. Pela la cebolla y córtala en tiras. Lava la verdura, pélala y haz tiras o bastones del grosor de un dedo (los trozos han de ser un poco más pequeños en las hortalizas más duras, como las chirivías o las zanahorias). Lava la naranja con agua caliente y sécala; ralla la cáscara y exprime el zumo (aprox. 100 ml).

2   Para preparar la salsa, mezcla el zumo de naranja y la mitad de la ralladura con la mostaza de Dijon y dos cucharaditas de mostaza en grano; salpimienta. Agrega una cucharada de aceite.

3   Engrasa con el resto del aceite un molde resistente al horno (16 x 24 cm). Distribuye en él la verdura y agrega la salsa de mostaza y naranja. Mete la verdura en el horno (en la zona media; a 180 °C si es con circulación de aire) unos 30-40 minutos removiéndola de vez en cuando. Lava el perejil, sécalo con papel de cocina y pícalo. Mézclalo con el resto de la ralladura de naranja y la mostaza en grano. Sirve la verdura con una pella de yogur y espolvoréala con la mezcla de perejil.

VERDURA AL HORNO CON SALSA DE NARANJA

Chucrut con rollitos de patata

UN CLÁSICO DE TIPO LIGERO

Para dos personas
300 g de patatas harinosas para cocer | Sal | 80 g de cebollas | 1 cucharada de aceite de oliva | 350 g de chucrut fresco fermentado con vino | 200 ml de caldo de verduras (ver la receta de la página 26) | 1 hoja de laurel | 3-4 bayas de enebro | 1 yema de huevo | Pimienta negra recién molida | Sal | Nuez moscada recién rallada | 40 g de sémola fina de trigo duro | 40 g de harina | 2 ramas de perejil liso | 50 g de queso fresco (16% de materia grasa)
Tiempo de preparación: 1 hora y 25 minutos.
Por ración: aprox. 365 kcal, 15 g de proteínas, 11 g de grasa, 50 g de hidratos de carbono.

1   Pela las patatas y cuécelas en agua salada unos 30 minutos hasta que se ablanden. Entretanto pela la cebolla y pícala muy fina. Calienta 1 y ½ cucharaditas de aceite en una sartén y rehoga la cebolla hasta que quede con aspecto cristalizado. Agrega el chucrut, el caldo, el laurel y las bayas de enebro; llévalos a ebullición y luego, tapados, prosigue la cocción durante 45 minutos a fuego bajo. Si lo es necesario, añade un poco más de caldo.

2   Escurre las patatas, espera a que dejen de humear, aplástalas en una fuente con un prensapatatas y mézclalas con la yema de huevo. Aderézalo con la sal, la pimienta y la nuez moscada. Añade poco a poco la sémola y la harina hasta que la masa no se pegue.

3   Lleva a ebullición bastante agua salada en una cazuela. Precalienta el horno a 80 °C. Engrasa un molde apto para horno con el resto del aceite. Prepara con la masa de patata dos rollos de unos 3 cm de diámetro y corta cada uno de ellos en trozos de 1 cm de ancho. Forma con esos trozos unos rollitos, más estrechos y acabados en punta, de unos 5 cm de largo.

4   Echa los rollitos, por tandas, en el agua salada caliente (no hirviendo) y cuando suban a la superficie sácalos con una espumadera; deja que se escurran, ponlos en el molde y métetelos en el horno.

5   Lava el perejil, sécalo con papel de cocina y pícalo. Echa el chucrut hacia un lado, y retira tanto el laurel como las bayas de enebro. Añade el queso fresco y caliéntalo. Sirve la verdura con los rollitos de patata y espolvorea por encima el perejil.

Tentempiés de invierno

1 *Quark* con manzana y rábanos picantes

FANTÁSTICO CON PATATAS AL HORNO
Y PAN INTEGRAL

Para dos personas
Tiempo de preparación: 10 minutos.
Por ración: aprox. 130 kcal, 17 g de proteínas,
1 g de grasa, 12 g de hidratos de carbono.
250 g de *quark* desnatado | 2 cucharaditas de
rábanos picantes recién rallados (pueden ser
de bote) | Sal | Pimienta verde recién molida |
1 manzana (aprox. 180 g) | 20 g de brotes de
mostaza | 4 rodajas de manzana (opcional)

1 Mezcla en un cuenco el *quark* y los rábanos, y
salpimiéntalos.

2 Lava la manzana, rállala muy fina sin quitarle la
piel y mézclala con el *quark*. Lava los brotes en un
colador, sacúdelos para que se sequen y espolvorea
con ellos el *quark*. Si lo deseas, puedes decorarlo
con rodajas de manzana.

2 *Dip* de tofu y nueces

GENIAL CON PATATAS SALTEADAS
O ZANAHORIAS

Para dos personas
Tiempo de preparación: 15 minutos.
Por ración: aprox. 210 kcal, 11 g de proteínas,
12 g de grasa, 15 g de hidratos de carbono.
20 g de nueces | 200 g de tofu (natural) |
125 g de *mousse* de manzana sin edulcorar |
1 cucharadita de rábanos picantes recién
rallados (pueden ser de bote) | Sal | Pimienta
negra recién molida | Nuez moscada recién
molida | 1 cucharadita de zumo de limón |
¼ paquetito de berros

1 Tuesta las nueces en una sartén sin grasa hasta
que adquieran un tono dorado, déjalas enfriar y
pícalas. Coloca el tofu entre dos papeles de cocina,
presiona ligeramente y luego desmigájalo.

2 Prepara en la batidora un puré suave con el
tofu y la *mousse* de manzana. Aderézala con los
rábanos, la sal, la pimienta, la nuez moscada y el
zumo de limón. Añade las nueces. Lava bien los
berros en un colador, sacúdelos para que se sequen
y espolvoréalos sobre el *dip*.

3 Batido cremoso de manzana frita

EMBRUJO INVERNAL COMO BEBIDA

Para dos vasos
Tiempo de preparación: 25 minutos.
Por vaso: aprox. 190 kcal, 3 g de proteínas,
10 g de grasa, 21 g de hidratos de carbono.
2 manzanas pequeñas (aprox. 250 g) | 20 g
de mantequilla | 100 ml de zumo de manzana |
150 g de yogur (1,5% de materia grasa) |
Una pizca de canela en polvo | Una pizca
de jengibre molido

1 Pela las manzanas, pártelas en cuatro trozos,
elimina los corazones con las semillas y córtalas en
trozos pequeños. Derrite la mantequilla y, sin dejar
de remover, fríe ligeramente en ella los trozos de
manzana. Luego sácalos y déjalos enfriar.

2 Mezcla las manzanas con el zumo y utiliza la
batidora para preparar con todo un puré fino. Añade
el yogur y bate de nuevo. Reparte el batido en dos
vasos y espolvoréalo con la canela y el jengibre.

Índice de recetas

Índice alfabético de recetas

LA AUTORA

Bettina Matthaei es de una creatividad muy variada debido a su actividad como escritora de libros de cocina, periodista especializada en alimentación (es miembro del Food Editors Club), diseñadora gráfica y autora de dibujos animados. De su gran pasión por la cocina, y muy especialmente por las especias, han surgido muchos libros de cocina. El que presentamos hoy hace el número doce. También escribe columnas para revistas y portales de Internet, dicta conferencias y dirige talleres, siempre sobre el tema principal de unos condimentos sofisticados y saludables. Sus aromáticas mezclas de especias (www.1001gewuerze.de) se pueden consultar *online*. Ha buscado inspiración en sus numerosos viajes a los países clásicos de las especias, como la India, Indonesia o Brasil, así como Arabia o el Caribe (www.bettinamatthaei.de), para sus creaciones.

EL FOTÓGRAFO

Wolfgang Schardt puede disfrutar profesionalmente de la vida gracias a su amor a la comida y la bebida. En su estudio de Hamburgo se dedica, sobre todo, a fotografiar alimentos, naturalezas muertas e interiorismo para editoriales, publicidad y revistas como *Feinschmecker*. Cuenta con la colaboración de Anne-Katrin Weber como responsable del *food-styling* y los accesorios.

RECETA DE LA PORTADA

Variante de verano de ensalada de cuscús con verduras (variante con calabacín y tomate, véase la página 116)

> Consulte nuestra web:
> **www.hispanoeuropea.com**

Título de la edición original:
99 federleichte vegetarische Genussrezepte

Es propiedad, 2011
© Gräfe und Unzer Verlag GmbH, Múnich (Alemania)

© de la edición en castellano, 2015
Editorial Hispano Europea, S. A.
Primer de Maig, 21 - Pol. Ind. Gran Via Sud
08908 L'Hospitalet - Barcelona, España.
E-mail: hispanoeuropea@hispanoeuropea.com
Web: www.hispanoeuropea.com

© fotografías: Wolfgang Schardt, Hamburgo

© de la traducción: Eva Nieto

Depósito Legal: B. 2566-2015

ISBN: 978-84-255-2102-7

Impreso en España
Limpergraf, S. L.
Mogoda, 29-31 (Pol. Ind. Can Salvatella)
08210 Barberà del Vallès